シリーズ
日本語の醍醐味⑨

烏有書林

# 目次

# 黄金風景

# 葉

撰ばれてあることの
恍惚と不安と
二つわれにあり

ヴェルレエヌ

死のうと思っていた。ことしの正月、よそから着物を一反もらった。お年玉としてである。着物の布地は麻であった。鼠色のこまかい縞目が織りこめられていた。これは夏に着る着物であろう。夏まで生きていようと思った。

ノラもまた考えた。廊下へ出てうしろの扉をばたんとしめたときに考えた。帰ろうかしら。

私がわるいことをしないで帰ったら、妻は笑顔をもって迎えた。

その日その日を引きずられて暮しているだけであった。下宿屋で、たった独りして酒を飲み、独りで酔い、そうしてこそこそ蒲団を延べて寝る夜はことにつらかった。夢をさえ見なかった。疲れ切っていた。何をするにも物憂かった。「汲み取り便所は如何に改善すべきか？」という書物を買って来て本気に研究したこともあった。彼はその当時、従来の人糞の処置には可成まいっていた。

新宿の歩道の上で、こぶしほどの石塊がのろのろ這って歩いているのを見たのだ。石が這って歩いているな。ただそう思うていた。しかし、その石塊は彼のまえを歩いている薄汚い子供が、糸で結んで引摺っているのだということが直ぐに判った。

子供に欺かれたのが淋しいのではない。そんな天変地異をも平気で受け入れ得た彼自身の自棄が淋しかったのだ。

そんなら自分は、一生涯こんな憂鬱と戦い、そうして死んで行くということに成るんだな、と思えばおのが身がいじらしくもあった。青い稲田が一時にぽっと霞んだ。泣いたのだ。彼は狼狽えだした。こんな安価な殉情的な事柄に涕を流したのが少し恥かしかったのだ。

電車から降りるとき兄は笑うた。

「莫迦（ばか）にしょげてるな。おい、元気を出せよ。」
そうして竜の小さな肩を扇子（せんす）でポンと叩いた。夕闇のなかでその扇子が恐ろしいほど白っぽかった。竜は頬のあからむほど嬉しくなった。兄に肩をたたいて貰ったのが有難かったのだ。いつもせめて、これぐらいにでも打ち解けて呉（く）れるといいが、と果敢（はか）なくも願うのだった。
訪ねる人は不在であった。

兄はこう言った。「小説を、くだらないとは思わぬ。おれには、ただ少しまだるっこいだけである。たった一行の真実を言いたいばかりに百頁（ペエジ）の雰囲気をこしらえている。」私は言い憎（にく）そうに、考え考えしながら答えた。「ほんとうに、言葉は短いほどよい。それだけで、信じさせることができるならば。」
また兄は、自殺をいい気なものとして嫌った。けれども私は、自殺を処世術みたいな打算的なものとして考えていた矢先であったから、兄のこの言葉を意外に感じた。

白状し給（たま）え。え？　誰の真似なの？

水到（みずいた）りて渠成（きょな）る。

彼は十九歳の冬、「哀蚊」という短篇を書いた。それは、よい作品であった。同時に、それは彼の生涯の渾沌を解くだいじな鍵となった。形式には、「雛」の影響が認められた。けれども心は、彼のものであった。原文のまま。

おかしな幽霊を見たことがございます。あれは、私が小学校にあがって間もなくのことでございますから、どうせ幻灯のようにとろんと霞んでいるに違いございませぬ。いいえ、でも、その青蚊帳に写した幻灯のような、ぼやけた思い出が奇妙にも私には年一年と愈々はっきりして参るような気がするのでございます。

なんでも姉様がお婿をとって、あ、ちょうどその晩のことでございます。御祝言の晩のことでございました。芸者衆がたくさん私の家に来て居りまして、ひとりのお綺麗な半玉さんに紋附の綻びを縫って貰ったりしましたのを覚えて居りますし、父様が離座敷の真暗な廊下で背のお高い芸者衆とお相撲をお取りになっていらっしゃったのもあの晩のことでございました。父様はその翌年お歿くなりになられ、今では私の家の客間の壁の大きな御写真のなかに、おはいりになって居られるのでございますが、私はこの御写真を見るたびごとに、あの晩のお相撲のことを必ず思い出すのでございます。私の父様は、弱い人をいじめるようなことは決してなさらないお方でございましたから、あのお相撲も、きっと芸者衆が何かひどくいけないことをなしたので父様はそれをお懲(こら)しめになっていらっしゃったのでございましょう。

それやこれやと思い合せて見ますと、確かにあれは御祝言の晩に違いございませぬ。ほんとうに申し訳がございませぬけれど、なにもかも、まるで、青蚊帳の幻灯のような、そのような有様でございますから、どうで御満足の行かれますようお話ができかねるのでございます。てもなく夢物語、いいえ、でも、あの晩に哀蚊の話を聞かせて下さったときの婆様の御めめと、それから、幽霊、とだけは、あれだけは、どなたがなんと仰言(おっしゃ)ったとて決して決して夢ではございませぬ。夢だなぞとおろかなこと、もうこれ、こんなにまざまざ眼先に浮んで参ったではございませんか。あの婆様の御めめと、それから。

さようでございます。私の婆様ほどお美しい婆様もそんなにあるものではございませぬ。昨年の夏お歿くなりになられましたけれど、その御死顔と言ったら、すごいほど美しいとはあれでございましょう。白蠟(はくろう)の御両頬には、あの夏木立の影も映らむばかりでございました。そんなにお美しくていらっしゃるのに、縁遠くて、一生鉄漿(かね)をお附けせずにお暮しなさったのでございます。

「わしという万年白歯(しらは)を餌にして、この百万の身代(しんだい)ができたのじゃぞえ。」

富本(とみもと)でこなれた渋い声で御生前よくこう言い言いして居られましたから、いずれこれには面白い因縁でもあるのでございましょう。どんな因縁なのだろうなどと野暮なお探りはお止(よ)しなさいませ。婆様がお泣きなさるでございましょう。と申しますのは、私の婆様は、それはそれは粋（いき）なお方で、ついに一度も縮緬（ちりめん）の縫紋（ぬいもん）の御羽織をお離しになったことがございませんでした。お師匠をお部屋へお呼びなされて富本のお稽古（けいこ）をお始めになられたのも、よほど昔からのことでございましたでしょう。私なぞも物心地が附いてからは、日がな一日、婆様の老松（おいまつ）やら浅間（あさま）やらの咽（むせ）び泣くような哀調のなかにうっとりしているときがままございました程で、世間様から隠居芸者とはやされ、婆様御自身もそれをお耳にしては美しくお笑いになって居られたようでございました。いかなることか、私は幼いときからこの婆様が大好きで、乳母（うば）から離れるとすぐ婆様の御懐（ふところ）に飛び込んでしまったのでございます。もっとも私の母様は御病身でございました故、子供には余り構うて呉れなかったのでございます。父様も母様も婆様のほんとうの御子ではございませぬから、婆様はあまり母様のほうへお遊びに参りませず四六時中、離座敷のお部屋にばかりいらっしゃいますので、私も婆様のお傍（そば）にくっついて三日も四日も母様のお顔を見ないことは珍らしゅうございませんでした。それゆえ婆様も、私の姉様なぞよりずっと私のほうを可愛がって下さいまして、毎晩のように草双紙（くさぞうし）を読んで聞かせて下さったのでございます。なかにも、あれあの八百屋お七（しち）の物語を聞いたときの感激は私は今でもしみじみ味（あじわ）うことができるのでございます。そしてまた、婆様がおたわむれに私を「吉三（きちざ）」「吉三」とお呼びになって下さった折のその嬉しさ。らんぷの黄色い灯火（ともしび）の下でしょんぼり草双紙をお読みになっていらっしゃる婆様のお美しい御姿、左様、私はことごとくよく覚えているのでございます。

とりわけあの晩の哀蚊の御寝物語は、不思議と私には忘れることができないのでございます。そう言えばあれは確かに秋でございました。

「秋まで生き残されている蚊を哀蚊と言うのじゃ。蚊燻しは焚かぬもの。不憫の故にな。」

ああ、一言一句そのまんま私は記憶して居ります。婆様は寝ながら滅入るような口調でそう語られ、そうそう、婆様は私を抱いてお寝になられるときには、きまって私の両足を婆様のお脚のあいだに挟んで、温めて下さったものでございます。或る寒い晩なぞ、婆様は私の寝巻をみんなお剝ぎとりになっておしまいになり、婆様御自身も輝くほどお綺麗な御素肌をおむきだし下さって、私を抱いてお寝になりお温めなされてくれたこともございました。それほど婆様は私を大切にしていらっしゃったのでございます。

「なんの。哀蚊はわしじゃがな。はかない……」

仰言りながら私の顔をつくづくと見まもりましたけれど、あんなにお美しい御めめもないものでございます。母屋の御祝言の騒ぎも、もうひっそり静かになっていたようでございましたし、なんでも真夜中ちかくでございましたでしょう。秋風がさらさらと雨戸を撫でて、軒の風鈴がその度毎に弱弱しく鳴って居りましたのも幽かに思いだすことができるのでございます。ええ、幽霊を見たのはその夜のことでございます。ふっと眼をさましまして、おしっこ、と私は申しましたのでございます。婆様の御返事がございませんでしたので、寝ぼけながらあたりを見廻しましたけれど、婆様はいらっしゃらなかったのでございます。心細く感じながらも、ひとりでそっと床から脱け出しまして、てらてら黒光りのする欅普請（けやきぶしん）の長い廊下をこわごわお厠（かわや）のほうへ、足の裏だけは、いやに冷や冷やして居りましたけれど、なにさま眠くって、まるで深い霧のなかをゆらりゆらり泳いでいるような気持ち、そのときです。幽霊を見たのでございます。長い長い廊下の片隅に、白くしょんぼり蹲（うず）くまって、かなり遠くから見たのでございますから、ふいるむのように小さく、けれども確かに、確かに、姉様と今晩の御婿様とがお寝になって居られるお部屋を覗（のぞ）いているのでございます。幽霊、いいえ、夢ではございませぬ。

芸術の美は所詮（しょせん）、市民への奉仕の美である。

花きちがいの大工がいる。邪魔だ。

それから、まち子は眼を伏せてこんなことを囁（ささや）いた。

「あの花の名を知っている？　指をふれればぱちんとわれて、きたない汁をはじきだし、みるみる指を腐らせる、あの花の名が判ったらねえ。」

僕はせせら笑い、ズボンのポケットへ両手をつっ込んでから答えた。

「こんな樹の名を知っている？　その葉は散るまで青いのだ。葉の裏だけがじりじり枯れて虫に食われているのだが、それをこっそりかくして置いて、散るまで青いふりをする。あの樹の名さえ判ったらねえ。」

「死ぬ？　死ぬのか君は？」

ほんとうに死ぬかも知れないと小早川は思った。去年の秋だったかしら、なんでも青井の家に小作争議が起ったりしていろいろのごたごたが青井の一身上に振りかかったらしいけれど、そのときも彼は薬品の自殺を企て三日も昏睡し続けたことさえあったのだ。またついせんだっても、僕がこんなに放蕩をやめないのもつまりは僕の身体がまだ放蕩に堪え得るからであろう。去勢されたような男にでもなれば僕は始めて一切の感覚的快楽をさけて、闘争への財政的扶助に専心できるのだ、と考えて、三日ばかり続けてP市の病院に通い、その伝染病舎の傍の泥溝の水を掬って飲んだものだそうだ。けれどもちょっと下痢をしただけで失敗さ、とそのことを後で青井が頬あからめて話すのを聞き、小早川は、そのインテリ臭い遊戯をこのうえなく不愉快に感じたが、しかし、それほどまでに思いつめた青井の心が、少からず彼の胸を打ったのも事実であった。

「死ねば一番いいのだ。いや、僕だけじゃない。少くとも社会の進歩にマイナスの働きをなしている奴等は全部、死ねばいいのだ。それとも君、マイナスの者でもなんでも人はすべて死んではならぬという科学的な何か理由があるのかね。」

「ば、ばかな。」

小早川には青井の言うことが急にばからしくなって来た。

「笑ってはいけない。だって君、そうじゃないか。祖先を祭るために生きていなければならないとか、人類の文化を完成させなければならないとか、そんなたいへんな倫理的な義務としてしか僕たちは今まで教えられていないのだ。なんの科学的な説明も与えられていないのだ。そんなら僕たちマイナスの人間は皆、死んだほうがいいのだ。死ぬとゼロだよ。」

「馬鹿！　何を言っていやがる。どだい、君、虫が好すぎるぞ。それは成る程、君も僕もぜんぜん生産にあずかっていない人間だ。それだからとて、決してマイナスの生活はしていないと思うのだ。君はいったい、無産階級の解放を望んでいるのか。無産階級の大勝利を信じているのか。程度の差はあるけれども、僕たちはブルジョアジイに寄生している。それは確かだ。だがそれはブルジョアジイを支持しているのとはぜんぜん意味が違うのだ。一のプロレタリアアトへの貢献と、九のブルジョアジイへの貢献と君は言ったが、何を指してブルジョアジイへの貢献と言うのだろう。わざわざ資本家の懐を肥してやる点では、僕たちだってプロレタリアアトだって同じことなんだ。資本主義的経済社会に住んでいることが裏切りなら、闘士にはどんな仙人が成るのだ。そんな言葉こそウルトラというものだ。小児病(キンデルクランクハイト)というものだ。一のプロレタリアアトへの貢献、それで沢山。その一が尊いのだ。その一だけの為(ため)に僕たちは頑張って生きていなければならないのだ。そうしてそれが立派にプラスの生活だ。死ぬなんて馬鹿だ。死ぬなんて馬鹿だ。」

生れてはじめて算術の教科書を手にした。小型の、まっくろい表紙。ああ、なかの数字の羅(ら)列(れつ)がどんなに美しく眼にしみたことか。少年は、しばらくそれをいじくっていたが、やがて、巻末のペエジにすべての解答が記されているのを発見した。少年は眉をひそめて呟(つぶや)いたのである。「無礼だなあ。」

外はみぞれ、何を笑うやレニン像。

叔母の言う。

「お前はきりょうがわるいから、愛嬌(あいきょう)だけでもよくなさい。お前はからだが弱いから、心だけでもよくなさい。お前は嘘(うそ)がうまいから、行いだけでもよくなさい。」

知っていながらその告白を強(し)いる。なんといういんけんな刑罰であろう。

満月の宵。光っては崩れ、うねっては崩れ、逆巻(さかま)き、のた打つ浪(なみ)のなかで互いに離れまいとつないだ手を苦しまぎれに俺が故意(わざ)と振り切ったとき女は忽(たちま)ち浪に呑まれて、たかく名を呼んだ。俺の名ではなかった。

われは山賊。うぬが誇(ほこり)をかすめとらむ。

「よもやそんなことはあるまい、あるまいけれど、な、わしの銅像をたてるとき、右の足を半歩だけ前へだし、ゆったりとそりみにして、左の手はチョッキの中へ、右の手は書き損じの原稿をにぎりつぶし、そうして首をつけぬこと。いやいや、なんの意味もない。雀の糞を鼻のあたまに浴びるなど、わしはいやなのだ。そうして台石(だいいし)には、こう刻んでおくれ。ここに男がいる。生れて、死んだ。一生を、書き損じの原稿を破ることに使った。」

メフィストフェレスは雪のように降りしきる薔薇(ばら)の花弁に胸を頬を掌を焼きこがされて往生

したと書かれてある。

留置場で五六日を過して、或る日の真昼、俺はその留置場の窓から背のびして外を覗くと、中庭は小春の日ざしを一杯に受けて、窓ちかくの三本の梨の木はいずれもほつほつと花をひらき、そのしたで巡査が二三十人して教練をやらされていた。わかい巡査部長の号令に従って、皆はいっせいに腰から捕縄(ほじょう)を出したり、呼笛(よびこ)を吹きならしたりするのであった。俺はその風景を眺め、巡査ひとりひとりの家について考えた。

私たちは山の温泉場であてのない祝言をした。母はしじゅうくつくつと笑っていた。宿の女中の髪のかたちが奇妙であるから笑うのだと母は弁明した。嬉しかったのであろう。無学の母は、私たちを炉ばたに呼びよせ、教訓した。お前は十六魂(たまし)だから、と言いかけて、自信を失ったのであろう、もっと無学の花嫁の顔を覗き、のう、そうでせんか、と同意を求めた。母の言葉は、あたっていたのに。

妻の教育に、まる三年を費やした。教育、成ったころより、彼は死のうと思いはじめた。

病む妻や　とどこおる雲　鬼すすき。

赤え赤え煙こあ、もくらもくらと蛇体みたいに天さのぼっての、ふくれた、ゆららと流れた、のっそらと大浪うった、ぐるっぐるっと渦まえた、間もなくし、火の手あ、ののののと荒けなくなり、地ひびきたてたて山ばのぼり始めたずおん。山あ、てっぺらまで、まんどろに明るくなったずおん。どうどうと燃えあがる千本万本の冬木立ば縫い、人を乗せたまっくろい馬こあ、風みたいに馳せていたずおん。（ふるさとの言葉で。）

たった一言知らせて呉れ！　“Nevermore”

空の蒼く晴れた日ならば、ねこはどこからかやって来て、庭の山茶花のしたで居眠りしている。洋画をかいている友人は、ペルシャでないか、と私に聞いた。私は、すてねこだろう、と答えて置いた。ねこは誰にもなつかなかった。ある日、私が朝食の鰯を焼いていたら、庭のねこがものうげに泣いた。私も縁側へでて、にゃあ、と言った。ねこは起きあがり、静かに私のほうへ歩いて来た。私は鰯を一尾なげてやった。ねこは逃げ腰をつかいながらもたべたのだ。私の胸は浪うった。わが恋は容れられたり。ねこの白い毛を撫でたく思い、庭へおりた。背中の毛にふれるや、ねこは、私の小指の腹を骨までかりりと嚙み裂いた。

役者になりたい。

むかしの日本橋は、長さが三十七間四尺五寸あったのであるが、いまは二十七間しかない。それだけ川幅がせまくなったものと思わねばいけない。このように昔は、川と言わず人間と言わず、いまよりはるかに大きかったのである。

この橋は、おおむかしの慶長七年に始めて架けられて、そののち十たびばかり作り変えられ、今のは明治四十四年に落成したものである。大正十二年の震災のときは、橋のらんかんに飾られてある青銅の竜の翼が、焰に包まれてまっかに焼けた。

私の幼時に愛した木版の東海道五十三次道中双六では、ここが振りだしになっていて、幾人ものやっこのそれぞれ長い槍を持ってこの橋のうえを歩いている画が、のどかにかかれてあった。もとはこんなぐあいに繁華であったのであろうが、いまは、たいへんさびれてしまった。魚河岸が築地へうつってからは、いっそう名前もすたれて、げんざいは、たいていの東京名所絵葉書から取除かれている。

ことし、十二月下旬の或る霧のふかい夜に、この橋のたもとで異人の女の子がたくさんの乞食の群からひとり離れて佇(たたず)んでいた。花を売っていたのは此(こ)の女の子である。

三日ほどまえから、黄昏(たそがれ)どきになると一束の花を持ってここへ電車でやって来て、東京市の丸い紋章にじゃれついている青銅の唐獅子(からじし)の下で、三四時間ぐらい黙って立っているのである。

日本のひとは、おちぶれた異人を見ると、きっと白系(はっけい)の露西亜(ロシヤ)人にきめてしまう憎い習性を持っている。いま、この濃霧のなかで手袋のやぶれを気にしながら花束を持って立っている小さい子供を見ても、おおかたの日本のひとは、ああロシヤがいる、と楽な気持で呟くにちがいない。しかも、チエホフを読んだことのある青年ならば、父は退職の陸軍二等大尉、母は傲慢(ごうまん)な貴族、とうっとりと独断しながら、すこし歩をゆるめるであろう。また、ドストエーフスキイを覗きはじめた学生ならば、おや、ネルリ！　と声を出して叫んで、あわてて外套(がいとう)の襟(えり)を掻(か)きたてるかも知れない。けれども、それだけのことであって、そのうえ女の子に就(つ)いてのふかい探索をして見ようとは思わない。

しかし、誰かひとりが考える。なぜ、日本橋をえらぶのか。こんな、人通りのすくないほの暗い橋のうえで、花を売ろうなどというのは、よくないことなのに、――なぜ？

その不審には、簡単ではあるが頗(すこぶ)るロマンチックな解答を与え得るのである。それは、彼女の親たちの日本橋に対する幻影に由来している。ニホンでいちばんにぎやかな良い橋はニホンバシにちがいない、という彼等のおだやかな判断に他ならぬ。

女の子の日本橋でのあきないは非常に少なかった。第一日目には、赤い花が一本売れた。お客は踊子である。踊子は、ゆるく開きかけている赤い蕾（つぼみ）を選んだ。

「咲くだろうね。」

と、乱暴な聞きかたをした。

女の子は、はっきり答えた。

「咲キマス。」

二日目には、酔いどれの若い紳士が、一本買った。このお客は酔っていながら、うれい顔をしていた。

「どれでもいい。」

女の子は、きのうの売れのこりのその花束から、白い蕾をえらんでやったのである。紳士は盗むように、こっそり受け取った。

あきないはそれだけであった。三日目は、即（すなわ）ちきょうである。つめたい霧のなかに永いこと立ちつづけていたが、誰もふりむいて呉れなかった。

橋のむこう側にいる男の乞食が、松葉杖つきながら、電車みちをこえてこっちへ来た。女の子に縄張りのことで言いがかりをつけたのだった。女の子は三度もお辞儀をした。松葉杖の乞食は、まっくろい口髭（くちひげ）を噛みしめながら思案したのである。

「きょう切りだぞ。」

とひくく言って、また霧のなかへ吸いこまれていった。

女の子は、間もなく帰り仕度をはじめた。花束をゆすぶって見た。花屋から屑花を払いさげてもらって、こうして売りに出てから、もう三日も経っているのであるから花はいい加減にしおれていた。重そうにうなだれた花が、ゆすぶられる度毎に、みんなあたまを顫わせた。

それをそっと小わきにかかえ、ちかくの支那蕎麦の屋台へ、寒そうに肩をすぼめながらはいって行った。

三晩つづけてここで雲呑を食べるのである。そこのあるじは、支那のひとであって、女の子を一人並の客として取扱った。彼女にはそれが嬉しかったのである。

あるじは、雲呑の皮を巻きながら尋ねた。

「売レマシタカ。」

眼をまるくして答えた。

「イイエ。……カエリマス。」

この言葉が、あるじの胸を打った。帰国するのだ。きっとそうだ、と美しく禿げた頭を二三度かるく振った。自分のふるさとを思いつつ釜から雲呑の実を掬っていた。

「コレ、チガイマス。」

あるじから受け取った雲呑の黄色い鉢を覗いて、女の子が当惑そうに呟いた。

「カマイマセン。チャシュウワンタン。ワタシノゴチソウデス。」

あるじは固くなって言った。

雲呑は十銭であるが、叉焼雲呑は二十銭なのである。

女の子は暫くもじもじしていたが、やがて、雲呑の小鉢を下へ置き、肘のなかの花束からおおきい蕾のついた草花を一本引き抜いて、差しだした。くれてやるというのである。

彼女がその屋台を出て、電車の停留場へ行く途中、しなびかかった悪い花を三人のひとに手渡したことをちくちく後悔しだした。突然、道ばたにしゃがみ込んだ。胸に十字を切って、わけの判らぬ言葉でもって烈しいお祈りをはじめたのである。

おしまいに日本語を二言囁いた。

「咲クヨウニ。咲クヨウニ。」


安楽なくらしをしているときは、絶望の詩を作り、ひしがれたくらしをしているときは、生のよろこびを書きつづる。

春ちかきや？

どうせ死ぬのだ。ねむるようなよいロマンスを一篇だけ書いてみたい。男がそう祈願しはじめたのは、彼の生涯のうちでおそらくは一番うっとうしい時期に於いてであった。男は、あれこれと思いをめぐらし、ついにギリシャの女詩人、サフォに黄金の矢を放った。あわれ、そのかぐわしき才色を今に語り継がれているサフォこそ、この男のもやもやした胸をときめかす唯一の女性であったのである。

男は、サフォに就いての一二冊の書物をひらき、つぎのようなことがらを知らされた。けれどもサフォは美人でなかった。色が黒く歯が出ていた。ファオンと呼ぶ美しい青年に死ぬほど惚れた。ファオンには詩が判らなかった。恋の身投をするならば、よし死にきれずとも、そのこがれた胸のおもいが消えうせるという迷信を信じ、リュウカディアの岬から怒濤めがけて身をおどらせた。

生活。

よい仕事をしたあとで
一杯のお茶をすする

お茶のあぶくに
きれいな私の顔が
いくつもいくつも
うつっているのさ

どうにか、なる。

(「もの思う葦」より抄録)

## 虚栄の市

デカルトの「激情論」は名高いわりに面白くない本であるが、「崇敬とはわれに益するところあらむと願望する情の謂いである。」としてあったものだ。デカルトあながちぼんくらじゃないと思ったのだが、「羞恥とはわれに益するところあらむと願望する情の謂いである。」もしくは、「軽蔑とはわれに益するところあらむと云々。」といった工合いに手当りしだいの感情を、われに益する云々てう句に塡め込んでいってみても、さほど不体裁な言葉にならぬ。いっそ、「どんな感情でも、自分が可愛いからこそ起る。」と言ってしまっても、どこやら耳あたらしい一理窟として通る。献身とか謙譲とか義俠とかの美徳なるものが、自分のためという慾念を、まるできんたまかなにかのようにひたがくしにかくさせてしまったので、いま出鱈目に、「自分のため」と言われても、ああ慧眼と恐れいったりすることがないともかぎらぬような事態にたちいたるので、デカルト、べつだん卓見を述べたわけではないのである。人は弱さ、しゃれた言いかたをすれば、肩の木の葉の跡とおぼしき箇所に、射込んだふうの矢を真実と呼んでほめそやす。けれども、そんな判り切った弱さに射込むよりは、それを知っていながら、わざとその箇所をはずして射ってやって、相手に、知っているなと感づかせ、しかも自分はあくまでも、知らずにしくじったと呟いて、ほんとうに知らなかったような気になったりするのもまた面白くないか。虚栄の市の誇りもここにあるのだ。この市に集うもの、すべて、むさぼりくらうこと豚のごとく、さかんなること狒狒のごとく、凡そわれに益するところあらむと願望するの情、この市に住むものたちより強きはない。しかるにまた、献身、謙譲、義侠のふうをてらい、鳳凰、極楽鳥の秀抜、華麗を装わむとするの情、この市に住むものたちより激しきはないのである。そう言う私だとて病人づらをして、世評などは、と涼しげにいやいやをして見せながらも、内心如夜叉、敵を論破するためには私立探偵を十円くらいでたのんで来て、その論敵の氏と育ちと学問と素行と病気と失敗とを赤裸々に洗わせ、それを参考にしてそろそろとおのれの論陣をかためて行く。因果。

「私は、はかなくもばかげたこの虚栄の市を愛する。私は生涯、この虚栄の市に住み、死ぬるまでさまざまの甲斐なき努力をしつづけて行こうと思う。」

虚栄の子のそのような想念をうつらうつらまとめてみているうちに、私は素晴らしい仲間を見つけた。アントン・ファン・ダイク。彼が二十三歳の折に描いた自画像である。アサヒグラフ所載のものであって、児島喜久雄といふひとの解説がついている。「背景は例の暗褐色。豊かな金髪をちぢらせてふさふさと額に垂らしている。伏目につつましく控えている碧い神経質な鋭い目も、官能的な桜桃色の唇も相当なものである。肌理の細かい女のような皮膚の下から綺麗な血の色が、薔薇色に透いて見える。黒褐色の服に雪白の襟と袖口。濃い藍色の絹のマントをシックに羽織っている。この画は伊太利亜で描いたもので、肩からかけて居る金鎖はマントワ侯の贈り物だという。」またいう、「彼の作品は常に作後の喝采を目標として、病弱の五体に鞭うつ彼の虚栄心の結晶であった。」そうであろう。堂々と自分のつらを、こんなにあやしいほど美しく書き装うてしかもおそらくは、ひとりの貴婦人へ頗る高価に売りつけたにちがいない二十三歳の小僧の、臆面もなきふてぶてしさを思うと、――いたたまらぬほど憎くなる。

## 敗北の歌

曳かれものの小唄という言葉がある。瘦馬に乗せられ刑場へ曳かれて行く死刑囚が、それでも自分のおちぶれを見せまいと、いかにも気楽そうに馬上で低吟する小唄の謂いであって、ばかばかしい負け惜しみを嘲う言葉のようであるが、文学なんかも、そんなものじゃないのか。早いところ、身のまわりの倫理の問題から話をすすめてみる。私が言わなければ誰も言わないだろうから、私が次のようなあたりまえのことを言うても、何やら英雄の言葉のように響くかも知れないが、だいいちに私は私の老母がきらいである。生みの親であるが好きになれない。

無智。これゆえにたまらない。つぎに私は、四谷怪談の伊右衛門に同情を持つ者であるということを言わなければならない。まったく、女房の髪が抜け、顔いちめん腫れあがって膿が流れ、おまけにちんば、それで朝から晩までめそめそ泣きつかれていた日には、伊右衛門でなくても、蚊帳を質にいれて遊びに出かけたくなるだろうと思う。つぎに私は、友情と金銭の相互関係について、つぎに私は師弟の挨拶について、つぎに私は兵隊について、いくらでも言えるのであるが、いますぐ牢へいれられるのはやはりいやであるからこの辺で止す。つまり私には良心がないということを言いたいのである。はじめからそんなものはなかった。鞭影への恐怖、言いかえれば世の中から爪弾きされはせぬかという懸念、牢屋への憎悪、そんなものを人は良心の呵責と呼んで落ちついているようである。自己保存の本能なら、馬車馬にも番犬にもある。けれども、こんな日常倫理のうえの判り切った出鱈目を、知らぬ顔して踏襲して行くのが、また世の中のなつかしいところ、血気にはやってばかな真似をするなよ、と同宿のサラリイマンが私をいさめた。いや、と私は気を取り直して心のなかで呟く。ぼくは新しい倫理を樹立するのだ。美と叡智とを規準にした新しい倫理を創るのだ。美しいもの、怜悧なるものは、すべて正しい。醜と愚鈍とは死刑である。そうして立ちあがったところで、さて、私には何が出来た。殺人、放火、強姦、身をふるわせてそれらへあこがれても、何ひとつできなかった。立ちあがって、尻餅ついた。サラリイマンは、また現われて、諦念と怠惰のよさを説く。姉は、母の心配を思え、と愚劣きわまる手紙を寄こす。そろそろと私の狂乱がはじまる。なんでもよい、人のやるなと言うことを計算なく行う。きりきり舞って舞って舞い狂って、はては自殺と入院である。そうして、私の「小唄」もこの直後からはじまるようである。曳かれもの、身は痩馬にゆだねて、のんきに鼻歌を歌う。「私は神の継子。ものごとを未解決のままで神の裁断にまかせることを嫌う。なにもかも自分で割り切ってしまいたい。神は何ひとつ私に手伝わなかった。私は霊感を信じない。知性の職人。懐疑の名人。わざと下手くそに書いてみたりわざと面白くなく書いてみたり、神を恐れぬよるべなき子。判り切っているほど判っているのだ。ああ、ここから見おろすと、みんなおろかで薄汚い。」などと賑やかなことであるが、おや、刑場はすぐもうそこに見えている。そうしてこの男も「創造しつつ痛ましく勇ましく没落して行くにちがいない。」とツァラツストラがのこのこ出て来ていらざる註釈を一こと附け加えた。

## 放心について

森羅万象の美に切りまくられ踏みつけられ、舌を焼いたり、胸を焦がしたり、男ひとり、よろめきつつも、或る夜ふと、かすかにひかる一条の路を見つけた！　と思い込んで、はね起きる。走る。ひた走りに走る。一瞬間のできごとである。私はこの瞬間を、放心の美と呼称しよう。断じて、ダス・デモニッシュのせいではない。人のちからの極致である。私は神も鬼も信じていない。人間だけを信じている。華厳の滝が涸れたところで、私は格別、痛嘆しない。けれども、俳優、羽左衛門の壮健は祈らずに居れないのだ。柿右衛門の作ひとつにでも傷をつけないように。きょう以後「人工の美」という言葉をこそ使うがよい。いかに天衣なりといえども、無縫ならば汚くて見られぬ。

附言する。かかる全き放心の後に来る、もの凄じきアンニュイを君知るや否や。

## 感謝の文学

日本には、ゆだん大敵という言葉があって、いつも人間を寒く小さくしている。芸術の腕まえにおいて、あるレヴェルにまで漕ぎついたなら、もう決して上りもせず、また格別、落ちもしないようだ。疑うものは、志賀直哉、佐藤春夫、等々を見るがよい。それでまた、いいのだとも思う。（藤村については、項をあらためて書くつもり。）ヨーロッパの大作家は、五十すぎても六十すぎても、ただ量で行く。マンネリズムの堆積である。ソバでもトコロテンでも山盛にしたら、ほんとうに見事だろうと思われる。藤村はヨーロッパ人なのかも知れない。

けれども、感謝のために、私は、あるいは金のために、あるいは子供のために、あるいは遺書のために、苦労して書いておるにすぎない。人を嘲えず、自分だけを、ときたま笑っておる。そのうちに、わるい文学は、はたと読まれなくなる。民衆という混沌の怪物は、その点、正確である。きわだってすぐれたる作品を書き、わがことおわれりと、晴耕雨読、その日その日を生きておる佳い作家もある。かつて祝福されたる人。ダンテの地獄篇を経て、天国篇まで味わうことのできた人。また、ファウストのメフィストだけを気取り、グレエトヘンの存在をさえ忘れている復讐の作家もある。私には、どちらとも審判できないのであるが、これだけは、いい得る。窓ひらく。好人物の夫婦。出世。蜜柑。春。結婚まで。鯉。あすなろう。等々。生きていることへの感謝の念でいっぱいの小説こそ、不滅のものを持っている。

# 陰火

## 誕生

　二十五の春、そのひしがたの由緒ありげな学帽を、たくさんの希望者の中でとくにへどもどとまごつきながら願い出たひとりの新入生へ、くれてやって、帰郷した。鷹の羽の定紋うった軽い幌馬車は、若い主人を乗せて、停車場から三里のみちを一散にはしった。からころと車輪が鳴る、馬具のはためき、馭者の叱咤、蹄鉄のにぶい響、それらにまじって、ひばりの声がいくども聞えた。

　北の国では、春になっても雪があった。道だけは一筋くろく乾いていた。田圃の雪もはげかけた。雪をかぶった山脈のなだらかな起伏も、むらさきいろに萎えていた。その山脈の麓、黄いろい材木の積まれてあるあたりに、低い工場が見えはじめた。太い煙突から晴れた空へ煙が青くのぼっていた。彼の家である。新しい卒業生は、ひさしぶりの故郷の風景に、ものうい瞳をそっと投げたきりで、さもさもわざとらしい小さなあくびをした。

そうして、そのとしには、彼はおもに散歩をして暮した。彼のうちの部屋部屋をひとつひとつ廻って歩いて、そのおのおの部屋の香をなつかしんだ。洋室は薬草の臭気がした。茶の間は牛乳。客間には、なにやら恥かしい匂いが。彼は、表二階や裏二階や、離れ座敷にもさまよい出た。いちまいの襖をするするあける度毎に、彼のよごれた胸が幽かにときめくのであった。それぞれの匂いはきっと彼に都のことを思い出させたからである。

彼は家のなかだけでなく、野原や田圃をもひとりで散歩した。野原の赤い木の葉や田圃の浮藻の花は彼も軽蔑して眺めることができたけれど、耳をかすめて通る春の風と、ひくく騒いでいる秋の満目の稲田とは、彼の気にいっていた。

寝てからも、むかし読んだ小型の詩集や、真紅の表紙に黒いハンマアの画かれてあるような、そんな書物を枕元に置くことは、めったになかった。寝ながら電気スタンドを引き寄せて、両のてのひらを眺めていた。手相に凝っていたのである。掌にはたくさんのこまかい皺がたたまれていた。そのなかに三本の際だって長い皺が、ちりちりと横に並んではしっていた。この三つのうす赤い鎖が彼の運命を象徴しているというのであった。それに依れば、彼は感情と智能とが発達していて、生命は短いということになっていた。おそくとも二十代に死ぬというのである。

その翌(あく)る年、結婚をした。べつに早いとも思わなかった。美人でさえあれば、と思った。華やかな婚礼があげられた。花嫁は近くのまちの造り酒屋の娘であった。色が浅黒くて、なめらかな頬にはうぶ毛さえ生えていた。編物を得意としていた。ひとつき程は彼も新妻をめずらしがった。

そのとしの、冬のさなかに父は五十九で死んだ。父の葬儀は雪の金色に光っている天気のいい日に行われた。彼は袴(はかま)のももだちをとり、藁靴(わらぐつ)はいて、山のうえの寺まで十町ほどの雪道をぱたぱた歩いた。父の柩(ひつぎ)は輿(こし)にのせられて彼のうしろへついて来た。そのあとには彼の妹ふたりがまっ白いヴェルで顔をつつんで立っていた。行列は長くつづいていた。

父が死んで彼の境遇は一変した。父の地位がそっくり彼に移った。それから名声も。

さすがに彼はその名声にすこし浮わついた。工場の改革などをはかったのである。そうして、いちどでこりこりした。手も足も出ないのだとあきらめた。支配人にすべてをまかせた。彼の代になって、かわったのは、洋室の祖父の肖像画がけしの花の油画と掛けかえられたことと、まだある、黒い鉄の門のうえに仏蘭西(フランス)風の軒灯をぼんやり灯(とも)した。

すべてが、もとのままであった。変化は外からやって来た。父にわかれて二年目の夏のことであった。そのまちの銀行の様子がおかしくなったのである。もしものときには、彼の家も破産せねばいけなかった。

　救済のみちがどうやらついた。しかし、支配人は工場の整理をもくろんだのである。そのことが使用人たちを怒らせた。彼には、永いあいだ気にかけていたことが案外はやく来てしまったような心地がした。奴等の要求をいれさせてやれ、と彼はわびしいよりむしろ腹立たしい気持ちで支配人に言いつけた。求められたものは与える。それ以上は与えない。それでいいだろう？　と彼は自身のこころに尋ねた。小規模の整理がつつましく行われた。

　その頃から寺を好き始めた。寺は、すぐ裏の山のうえでトタンの屋根を光らせていた。彼はそこの住職と親しくした。住職は痩（や）せ細って老いぼれていた。けれども右の耳朶（みみたぶ）がちぎれていて黒い痕（あと）をのこしているので、ときどきは兇悪な顔にも見えた。夏の暑いまさかりでも、彼は長い石段をてくてくのぼって寺へかようのである。庫裡（くり）の縁先（えんさき）には夏草が高くしげっていて、鶏頭（けいとう）の花が四つ五つ咲いていた。住職はたいてい昼寝をしているのであった。彼はその縁先からもしもしと声をかけた。時々とかげが縁の下から青い尾を振って出て来た。

　彼はきょうもんの意味に就いて住職に問うのであった。住職はちっとも知らなかった。住職はまごついてから、あはははと声を立てて笑うのである。彼もほろにがく笑ってみせた。それでよかった。ときたま住職へ怪談を所望した。住職は、かすれた声で二十いくつの怪談をつぎつぎと語って聞（きか）せた。この寺にも怪談があるだろう、と追及したら、住職は、とんとない、と答えた。

それから一年すぎて、彼の母が死んだ。彼の母は父の死後、彼に遠慮ばかりしていた。あまりおどおどして、命をちぢめたのである。母の死とともに彼は寺を厭いた。母が死んでから始めて気がついたことだけれども、彼の寺沙汰は、母への奉仕を幾分ふくめていたのであった。

母に死なれてからは、彼は小家族のわびしさを感じた。妹ふたりのうち、上のは、隣りのまちの大きい割烹店へとついでいた。下のは、都の、体操のさかんな或る私立の女学校へかよっていて、夏冬の休暇のときに帰郷するだけであった。黒いセルロイドの眼鏡をかけていた。彼等きょうだい三人とも、眼鏡をかけていたのである。彼は鉄ぶちを掛けていた。姉娘は細い金ぶちであった。

彼はとなりまちへ出て行ってあそんだ。自分の家のまわりでは心がひけて酒もなんにも飲めなかった。となりのまちでささやかな醜聞をいくつも作った。やがてそれにも疲れた。

子供がほしいと思った。少くとも、子供は妻との気まずさを救えると考えた。彼には妻のからだがさかなくさくてかなわなかった。鼻に附いたのである。

三十になって、少しふとった。毎朝、顔を洗うときに両手へ石鹸をつけて泡をこしらえていると、手の甲が女のみたいにつるつる滑った。指先が煙草のやにで黄色く染まっていた。洗っても洗っても落ちないのだ。煙草の量が多すぎたのである。一日にホープを七箱ずつ吸っていた。

　そのとしの春に、妻が女の子を出産した。その二年ほどまえ、妻が都の病院に凡(およ)そひとつきも秘密な入院をしたのであった。

　女の子は、ゆりと呼ばれた。ふた親に似ないで色が白かった。髪がうすくて、眉毛はないのと同じであった。腕と脚が気品よく細長かった。生後二箇月目には、体重が五瓩(キログラム)、身長が五十八糎(センチ)ほどになって、ふつうの子より発育がよかった。

　生れて百二十日目に大がかりな誕生祝いをした。

## 紙の鶴

「おれは君とちがって、どうやらおめでたいようである。おれは処女でない妻をめとって、三年間、その事実を知らずにすごした。こんなことは口に出すべきでないかも知れぬ。いまは幸福そうに編物へ熱中している妻に対しても、むざんである。また、世の中のたくさんの夫婦に対しても、いやがらせとなるであろう。しかし、おれは口に出す。君のとりすました顔を、なぐりつけてやりたいからだ。

　おれは、ヴァレリイもプルウストも読まぬ。おおかた、おれは文学を知らぬのであろう。知らぬでもよい。おれは別なもっとほんとうのものを見つめている。人間を。人間という謂わば市場の蒼蠅を。それゆえおれにとっては、作家こそすべてである。作品は無である。

どういう傑作でも、作家以上ではない。作家を飛躍し超越した作品というものは、読者の眩惑である。君は、いやな顔をするであろう。読者にインスピレエションを信じさせたい君は、おれの言葉を卑俗とか生野暮とかといやしめるにちがいない。そんならおれは、もっとはっきり言ってもよい。おれは、おれの作品がおれのためになるときだけ仕事をするのである。君がまさしく聡明ならば、おれのこんな態度をこそ鼻で笑える筈だ。笑えないならば、今後、かしこそうに口まげる癖をよし給え。

おれは、いま、君をはずかしめる意図からこの小説を書こう。この小説の題材は、おれの恥さらしとなるかも知れぬ。けれども、決して君に憐憫の情を求めまい。君より高い立場に拠って、人間のいつわりない苦悩というものを君の横面にたたきつけてやろうと思うのである。

おれの妻は、おれとおなじくらいの嘘つきであった。ことしの秋のはじめ、おれは一篇の小説をしあげた。それは、おれの家庭の仕合せを神に誇った短篇である。おれは妻にもそれを読ませた。妻は、それをひくく音読してしまってから、いいわ、と言った。そうして、おれにだらしない動作をしかけた。おれは、どれほどのろまでも、こういう妻のそぶりの蔭に、ただならぬ気がまえを見てとらざるを得なかったのである。おれは、妻のそんな不安がどこからやって来たのか、それを考えて三夜をついやした。おれの疑惑は、ひとつのくやしい事実にかたまって行くのであった。おれもやはり、十三人目の椅子に坐るべきおせっかいな性格を持っていた。

おれは妻をせめたのである。このことにもまた三夜をついやした。妻は、かえっておれを笑っていた。ときどきは怒りさえした。おれは最後の奸策をもちいた。その短篇には、おれのような男に処女がさずかった歓喜をさえ書きしるされているのであったが、おれはその箇所をとりあげて、妻をいじめたのである。おれはいまに大作家になるのであるから、この小説もこののち百年は世の中にのこるのだ。するとお前は、この小説とともに百年のちまで嘘つきとして世にうたわれるであろう、と妻をおどかした。無学の妻は、果しておびえた。しばらく考えてから、とうとうおれに囁いた。たったいちど、と囁いたのである。おれは笑って妻を愛撫した。わかいころの怪我であるゆえ、それはなんでもないことだ、と妻に元気をつけてやって、おれはもっとくわしく妻に語らせるのであった。ああ、妻はしばらくして、二度、と訂正した。それから、三度、と言った。おれは尚も笑いつづけながら、どんな男か、とやさしく尋ねた。おれの知らない名前であった。妻がその男のことを語っているうちに、おれは手段でなく妻を抱擁した。これは、みじめな愛慾である。同時に真実の愛情である。妻は、ついに、六度ほど、と吐きだして声を立てて泣いた。

その翌る朝、妻はほがらかな顔つきをしていた。あさの食卓に向い合って坐ったとき、妻はたわむれに、両手あわせておれを拝んだ。おれも陽気に下唇を噛んで見せた。すると妻はいっそうくつろいだ様子をして、くるしい？　とおれの顔を覗いたでないか。おれは、すこし、と答えた。

おれは君に知らせてやりたい。どんな永遠のすがたでも、きっと卑俗で生野暮なものだということを。

その日を、おれはどうして過したか、これをも君に教えて置こう。

こんなときには、妻の顔を、妻の脱ぎ捨ての足袋を、妻にかかわり合いのある一切を見てはいけない。妻のそのわるい過去を思い出すからというだけでない。おれと妻との最近までの安楽だった日を追想してしまうからである。その日、おれはすぐ外出した。ひとりの年少の洋画家を訪れることにきめたのである。この友人は独身であった。妻帯者の友人はこの場合ふむきであろう。

おれはみちみち、おれの頭脳がからっぽにならないように警戒した。昨夜のことが入りこむすきのないほど、おれは別な問題について考えふけるのであった。人生や芸術の問題はいくぶん危険であった。殊に文学は、てきめんにあのなまな記憶を呼び返す。おれは途上の植物について頭をひねった。からたちは、灌木である。春のおわりに白色の花をひらく。何科に属するかは知らぬ。秋、いますこし経つと黄いろい小粒の実がなるのだ。それ以上を考えつめると危い。おれはいそいで別な植物に眼を転ずる。すすき。これは禾本科に属する。たしか禾本科と教わった。この白い穂は、おばな、というのだ。秋の七草のひとつである。秋の七草とは、はぎ、ききょう、かるかや、なでしこ、それから、おばな。もう二つ足りないけれど、なんであろう。六度ほど。だしぬけに耳へささやかれたのである。おれはほとんど走るようにして、足を早めた。いくたびとなく躓いた。この落葉は。いや、植物はよそう。もっと冷いものを。もっと冷いものを。よろめきながらもおれは陣容をたて直したのである。

おれは、AプラスBの二乗の公式を心のなかで誦した。そのつぎには、AプラスBプラスCの二乗の公式について、研究した。

君は不思議なおもちを装うておれの話を聞いている。けれども、おれは知っている。おそらくは君も、おれのような災難を受けたときには、いや、もっと手ぬるい問題にあってさえ君の日ごろの高雅な文学論を持てあまして、数学はおろか、かぶと虫いっぴきにさえとりすがろうとするであろう。

おれは人体の内臓器官の名称をいちいち数えあげながら、友人の居るアパアトに足を踏みいれた。

友人の部屋の扉をノックしてから、廊下の東南の隅につるされてある丸い金魚鉢を見あげ、泳いでいる四つの金魚について、その鰭の数をしらべた。友人は、まだ寝ていたのであった。片眼だけをしぶくあけて、出て来た。友人の部屋へはいって、おれはようやくほっとした。

いちばん恐ろしいのは孤独である。なにか、おしゃべりをしていると助かる。相手が女だと不安だ。男がよい。とりわけ好人物の男がよい。この友人はこういう条件にかなっている。

おれは友人の近作について饒舌をふるった。それは二十号の風景画であった。彼にしては大作の部類である。水の澄んだ沼のほとりに、赤い屋根の洋館が建っている画であった。友人は、それを内気らしくカンヴァスを裏がえしにして部屋の壁へ寄せかけて置いたのに、おれは、躊躇せずそれをまたひっくりかえして眺めたのである。おれはそのときどんな批評をしたであろうか。もし、君の芸術批評が立派なものであるとしたなら、おれのそのときの批評も、まんざらではなかったようである。なぜと言って、おれもまた君のように、一言なかるべからず式の批評をしたからである。モチイフについて、色彩について、構図について、おれはひとわたり難癖をつけることができた。能うかぎりの概念的な言葉でもって。

友人はいちいちおれの言うことを承認した。いやいや、おれは始めから友人に言葉をさしはさむ余裕をさえ与えなかったほど、おしゃべりをつづけたのである。

しかし、こういう饒舌も、しんから安全ではない。おれは、ほどよいところで打ち切って、この年少の友に将棋をいどんだ。ふたりは寝床のうえに坐って、くねくねと曲った線のひかれてあるボオル紙へ駒をならべ、早い将棋をなんばんとなくさした。友人はときどき永いふんべつをしておれに怒られ、へどもどとまごつくのであった。たとえ一瞬時でも、おれは手持ちぶさたな思いをしたくなかったのである。

　こんなせっぱつまった心がまえは所詮ながくつづかぬものである。おれは将棋にさえ危機を感じはじめた。ようやく疲労を覚えたのだ。よそう、と言って、おれは将棋の道具をとりのけ、その寝床のなかへもぐり込んだ。友人もおれとならんで仰向けにころがり煙草をふかした。おれは、うっかり者。休止は、おれにとっては大敵なのだった。かなしい影がもうはや、いくどとなくおれの胸をかすめる。おれは、さて、さて、と意味もなく呟いては、その大きい影を追いはらっていた。とてもこのままではならぬ。おれは動いていなければいけないのだ。

　君は、これを笑うであろうか。おれは寝床へ腹這いになって、枕元に散らばってあった鼻紙をいちまい拾い、折紙細工をはじめたのである。

　まずこの紙を対角線に沿うて二つに折って、それをまた二つに畳んで、こうやって袋を作って、それから、こちらの端を折って、これは翼、こちらの端を折って、これはくちばし、こういう工合いにひっぱって、ここのちいさい孔からぷっと息を吹きこむのである。これは、鶴。」

水車

橋へさしかかった。男はここで引きかえそうと思った。女はしずかに橋を渡った。男も渡った。

女のあとを追ってここまで歩いて来なければいけなかったわけを、男はあれこれと考えてみた。みれんではなかった。女のからだからはなれたとたんに、男の情熱はからっぽになってしまった筈である。女がだまって帰り仕度をはじめたとき、男は煙草に火を点じた。おのれの手のふるえてもいないのに気が附いて、男はいっそう白白しい心地がした。そのままほって置いてもよかったのである。男は女と一緒に家を出た。

二人は土堤の細い道を、あとになりさきになりしながらゆっくり歩いた。初夏の夕暮のことである。はこべの花が道の両側にてんてんと白く咲いていた。

憎くてたまらぬ異性にでなければ関心を持てない一群の不仕合せな人たちがいる。男もそうであった。女もそうであった。女はきょうも郊外の男の家を訪れて、男の言葉の一つ一つに訳のわからぬ嘲笑を浴びせたのである。男は、女の執拗な侮辱に対して、いまこそ腕力を用いようと決心した。女もそれを察して身構えた。こういうせっぱつまったわななきが、二人のゆがめられた愛慾をあおりたてた。男の力はちがった形式で行われた。めいめいのからだを取り返したとき、二人はみじんも愛し合っていない事実をはっきり知らされた。

こうやって二人ならんで歩いているが、お互いに妥協の許さぬ反撥を感じていた。以前にました憎悪を。

土堤のしたたには、二間ほどのひろさの川がゆるゆると流れていた。男は薄闇のなかで鈍く光っている水のおもてを見つめながら、また、引きかえそうかしら、と考えた。女は、うつむいたまま道を真直に歩いていた。男は女のあとを追った。

みれんではない。解決のためだ。いやな言葉だけれど、あとしまつのためだ。男は、やっと言いわけを見つけたのである。男は女から十歩ばかり離れて歩きながら、ステッキを振ってみちみちの夏草を薙ぎ倒していた。かんにんして下さい、とひくく女に囁けば、何か月なみの解決がつきそうにも思われる。男はそれも心得ていた。が、言えなかった。だいいち時機がおくれている。これは、その直後にこそ効果のある言葉らしい。ふたりが改めて対陣し直したいまになって、これを言いだすのは、いかにも愚かしくないか。男は青蘆をいっぽん薙ぎ倒した。

列車のとどろきが、すぐ背後に聞えた。女は、ふっと振りむいた。男もいそいで顔をうしろにねじむけた。列車は川下の鉄橋を渡っていた。あかりを灯した客車が、つぎ、つぎ、つぎ、つぎと彼等の眼の前をとおっていった。男は、おのれの背中にそそがれている女の視線をいたいほど感じていた。列車は、もう通り過ぎてしまって、前方の森の蔭からその車輌のひびきが聞えるだけであった。男は、ひと思いに、正面にむき直った。もし女と視線がかち合ったなら、そのときには鼻で笑ってこう言ってやろう。日本の汽車もわるくないね。

女はけれども、よほど遠くをすたすた歩いていたのである。白い水玉をちらした仕立ておろしの黄いろいドレスが、夕闇を透して男の眼にしみた。このままうちへ帰るつもりかしら。いっそ、けっこんしようか。いや、ほんとうはけっこんしないのだが、あとしまつのためにそんな相談をしかけてみるのだ。

男はステッキをぴったり小脇にかかえて、はしりだした。女へ近づくにつれて、男の決意がほぐれはじめた。女は痩せた肩をすこしいからせて、ちゃんとした足どりで歩いていた。男は、女の二三歩うしろまではしって来て、それからのろのろと歩いた。憎悪だけが感ぜられるのだ。女のからだじゅうから、我慢できぬいやな臭いが流れて出てくるように思われた。

二人はだまって歩きつづけた。道のまんなかにひとむれの川楊が、ぽっかり浮んだ。女はその川楊の左側を歩いた。男は右側をえらんだ。

逃げよう。解決もなにも要らぬ。おれが女の心に油ぎった悪党として、つまりふつうの男として残ったとて、構わぬ。どうせ男はこういうものだ。逃げよう。

川楊のひとむれを通り越すと、二人は顔を合せずに、またより添って歩いた。たったひとこと言ってやろうか。おれは口外しないよ、と。男は片手で袂の煙草をさぐった。それとも、こう言ってやろうか。令嬢の生涯にいちど、奥様の生涯にいちど、それから、母親の生涯にいちど、誰にもあることです。よいけっこんをなさい。すると、この女はなんと答えるのであろう。ストリンドベリイ？　と反問してくるにちがいない。男はマッチをすった。女の蒼黒い片頬がゆがんだまま男のつい鼻の先に浮んだ。

　とうとう男は立ちどまった。女も立ちどまった。お互いに顔をそむけたまま、しばらく立ちつくしていたのである。男は女が泣いてもいないらしいのをいまいましく思いながら、わざと気軽そうにあたりを見廻した。じき左側に男の好んで散歩に来る水車小屋があった。水車は闇のなかでゆっくりゆっくりまわっていた。女は、くるっと男に背をむけて、また歩きだした。男は煙草をくゆらしながら踏みとどまった。呼びとめようとしないのだ。

## 尼

　九月二十九日の夜更（よふ）けのことであった。あと一日がまんをして十月になってから質屋へ行けば、利子がひと月分もうかると思ったので、僕は煙草ものまずにその日いちにち寝てばかりいた。昼のうちにたくさん眠った罰で、夜は眠れないのだ。夜の十一時半ころ、部屋の襖がことことと鳴った。風だろうと思っていたのだが、しばらくして、またことことと鳴った。おや、誰か居るのかなとも思われ、蒲団から上半身をくねくねはみ出させて腕をのばし襖をあけてみたら、若い尼が立っていた。

中肉のやや小柄な尼であった。頭は青青していて、顔全体は卵のかたちに似ていた。頬は浅黒く、粉っぽい感じであった。眉は地蔵さまの三日月眉で、眼は鈴をはったようにぱっちりしていて、睫がたいへん長かった。鼻はこんもりともりあがって小さく、両唇はうす赤く少し大きく、紙いちまいの厚さくらいあいていてそのすきまから真白い歯列が見えていた。こころもち受け口であった。墨染めのころもは糊つけしてあるらしく折目折目がきっちりとたっていて、いくらか短かめであった。脚が三寸くらい見えていて、そのゴム毬みたいにふっくりふくらんだ桃いろの脚にはうぶ毛が薄く生えそろい、足頸が小さすぎる白足袋のためにきつくしめつけられて、くびれていた。右手には青玉の珠数を持ち、左手には朱いろの表紙の細長い本を持っていた。

僕は、ああ妹だなと思ったので、おはいりと言った。尼は僕の部屋へはいり、静かにうしろの襖をしめ、木綿の固いころもにかさかさと音を立てさせながら僕の枕元まで歩いて来て、それから、ちゃんと坐った。僕は蒲団の中へもぐりこみ、仰向けに寝たままで尼の顔をまじまじと眺めた。だしぬけに恐怖が襲った。息がとまって、眼さきがまっくろになった。

「よく似ているが、あなたは妹じゃないのですね。」はじめから僕には妹などなかったのだな、とそのときはじめて気がついた。「あなたは、誰ですか。」

尼は答えた。

「私はうちを間違えたようです。仕方がありません。同じようなものですものね。」

恐怖がすこしずつ去っていった。僕は尼の手を見ていた。爪が二分ほども伸びて、指の節は黒くしなびていた。

「あなたの手はどうしてそんなに汚いのです。こうして寝ながら見ていると、あなたの喉（のど）や何かはひどくきれいなのに。」

尼は答えた。

「汚いことをしたからです。私だって知っています。だからこうして珠数やお経の本で隠そうとしているのです。私は色の配合のために珠数とお経の本とを持って歩いているのです。黒いころもには青と朱の二色がよくうつって、私のすがたもまさって見えます。」そう言いながら、お経の本のペエジをぱらぱらめくった。「読みましょうか。」

「ええ。」僕は眼をつぶった。

「おふみさまです。夫人間（ソレニンゲン）ノ浮生（フジョウ）ナル相（ソウ）ヲツラツラ観（カン）ズルニ、オオヨソハカナキモノハ、コノ世（ヨ）ノ始中終（シチュウジュウ）マボロシノゴトクナル一期（イチゴ）ナリ、――てれくさくて読まれるものか。べつなのを読みましょう。夫女人（ソレニョニン）ノ身（ミ）ハ、五障三従（ゴショウサムショウ）トテ、オトコニマサリテカカルフカキツミノアルナリ、コノユエニ一切（イチサイ）ノ女人（ニョニン）ヲバ、――馬鹿らしい。」

「いい声だ。」僕は眼をつぶったままで言った。「もっとつづけなさいよ。僕は一日一日、退屈でたまらないのです。誰ともわからぬひとの訪問を驚きもしなければ好奇心も起さず、なんにも聞かないで、こうして眼をつぶってらくらくと話し合えるということが、僕もそんな男になれたということが、うれしいのです。あなたは、どうですか。」

「いいえ。だって、仕方がありませんもの。お伽噺（とぎばなし）がおすきですか。」

「すきです。」

尼は語りはじめた。

「蟹（かに）の話をいたしましょう、月夜の蟹の痩せているのは、砂浜にうつるおのが醜い月影におびえ、終夜ねむらず、よろばい歩くからであります。月の光のとどかない深い海の、ゆらゆら動く昆布の森のなかにおとなしく眠り、竜宮の夢でも見ている態度こそゆかしいのでしょうけれども、蟹は月にうかされ、ただ砂浜へ砂浜へとあせるのです。砂浜へ出るや、たちまちおのが醜い影を見つけ、おどろき、かつはおそれるのです。ここに男あり、ここに男あり、蟹は泡をふきつつそう呟（つぶや）き呟きよろばい歩くのです。蟹の甲羅（こうら）はつぶれ易い。いいえ、形からして、つぶされるようにできています。蟹の甲羅のつぶれるときには、くらっしゅという音が聞えるそうです。むかし、いぎりすの或る大きい蟹は、生れながらに甲羅が赤くて美しかった。この蟹の甲羅は、いたましくもつぶされかけました。それは民衆の罪なのでしょうか。またはかの大蟹のみずから招いたむくいなのでしょうか。大蟹は、ひと日その白い肉のはみ出た甲羅をせつなげにゆさぶりゆさぶり、とあるカフェへはいったのでした。カフェには、たくさんの小蟹がむれつどい、煙草をくゆらしながら女の話をしていました。そのなかの一匹、ふらんす生れの小蟹は、澄んだ眼をして、かの大蟹のすがたをみつめました。その小蟹の甲羅には、東洋的な灰色のくすんだ縞がいっぱいに交錯していました。大蟹は、小蟹の視線をまぶしそうにさけつつ、こっそり囁いたというのです。『おまえ、くらっしゅされた蟹をいじめるものじゃないよ。』ああ、その大蟹に比較すれば、小さくて小さくて、見るかげもないまずしい蟹が、いま北方の海原から恥を忘れてうかれ出た。月の光にみせられたのです。砂浜へ出てみて、彼もまたおどろいたのでした。この影は、このひらべったい醜い影は、ほんとうにおれの影であろうか。おれは新しい男である。しかし、おれの影を見給え。もうはや、おしつぶされかけている。おれの甲羅はこんなに不恰好なのだろうか。こんなに弱弱しかったのだろうか。小さい小さい蟹は、そう呟きつつよろばい歩くのでした。おれには、才能があったのであろうか。いや、いや、あったとしても、それはおかしい才能だ。世わたりの才能というものだ。お前は原稿を売り込むのに、編輯者へどんな色目をつかったか。あの手。この手。泣き落しならば眼ぐすりを。おどかしの手か。よい着物を着ようよ。作品に一言も註釈を加えるな。退屈そうにこう言い給え。

『もし、よかったら。』甲羅がうずく。からだの水気が乾いたようだ。この海水のにおいだけが、おれのたったひとつのとりえだったのに。潮の香がうせたなら、ああ、おれは消えもいりたい。もいちど海へはいろうか。海の底の底の底へもぐろうか。なつかしきは昆布の森。遊牧の魚の群。小蟹は、あえぎあえぎ砂浜をよろばい歩いたのでした。浦の苫屋のかげでひとやすみ。腐りかけたいさり舟のかげでひとやすみ。この蟹や。何処の蟹。百伝う。角鹿の蟹。横去う。何処に到る。……」口を噤んだ。

「どうしたのです。」僕はつぶっていた眼をひらいた。

「いいえ。」尼はしずかに答えた。「もったいないのです。これは古事記の、…………。罰があたりますよ。はばかりはどこでしょうかしら。」

「部屋を出て、廊下を右手へまっすぐに行きますと杉の戸板につきあたります。それが扉です。」

「秋にもなりますと女人は冷えますので。」そう言ってから、いたずら児のように頸をすくめ両方の眼をくるくると廻して見せた。僕は微笑んだ。

尼は僕の部屋から出ていった。僕はふとんを頭からひきかぶって考えた。高邁なことがらについて思案したのではなかった。これあ、もうけものをしたな、と悪党らしくほくそ笑んだだけのことであった。

尼は少しあわてふためいた様子でかえって来て襖をぴたっとしめてから、立ったままで言った。

「私は寝なければなりません。もう十二時なのです。かまいませんでしょうか。」

僕は答えた。

「かまいません。」

どんなにびんぼうをしても蒲団だけは美しいのを持っていたいと僕は少年のころから心がけていたのであるから、こんな工合いに不意の泊り客があったときにでも、まごつくことはなかったのだ。僕は起きあがり、僕の敷いて寝ている三枚の敷蒲団のうちから一枚ひき抜いて、僕の蒲団とならべて敷いた。

「この蒲団は不思議な模様ですね。ガラス絵みたいだわ。」

僕は自分の二枚の掛蒲団を一枚だけはいだ。

「いいえ。掛蒲団は要らないのです。私はこのままで寝るのです。」

「そうですか。」僕はすぐ僕の蒲団の中へもぐりこんだ。

尼は珠数とお経の本とを蒲団のしたへそっとおしこんでから、ころものままで敷布のない蒲団のうえに横たわった。

「私の顔をよく見ていて下さい。みるみる眠ってしまいます。それからすぐきりきりと歯ぎしりをします。すると如来様がおいでになりますの。」

「如来様ですか。」

「ええ。仏様が夜遊びにおいでになります。毎晩ですの。あなたは退屈をしていらっしゃるのだそうですから、よくごらんになればいいわ。なにをお断りしたのもそのためなのです。」

なるほど、話おわるとすぐ、おだやかな寝息が聞えた。きりきりとするどい音が聞えたとき、部屋の襖がことことと鳴ったのである。僕は蒲団から上半身をはみ出させて腕をのばし襖をあけてみたら、如来が立っていた。

二尺くらいの高さの白象にまたがっていたのである。白象には黒く錆びた金の鞍が置かれていた。如来はいくぶん、いや、おおいに痩せこけていた。肋骨が一本一本浮き出ていて、鎧扉のようであった。ぼろぼろの褐色の布を腰のまわりにつけているだけで素裸であった。かまきりのように痩せ細った手足には蜘蛛の巣や煤がいっぱいついていた。皮膚はただまっくろであって、短い頭髪は赤くちぢれていた。顔はこぶしほどの大きさで、鼻も眼もわからず、ただくしゃくしゃと皺になっていた。

「如来様ですか。」

「そうです。」如来の声はひくいかすれ声であった。「のっぴきならなくなって、出て来ました。」

「なんだか臭いな。」僕は鼻をくんくんさせた。臭かったのである。如来が出現すると同時に、なんとも知れぬ悪臭が僕の部屋いっぱいに立ちこもったのである。

「やはりそうですか。この象が死んでいるのです。樟脳をいれてしまっていたのですが、やはり匂うようですね。」それから一段と声をひくめた。「いま生きた白象はなかなか手にはいりませんのでしてね。」

「ふつうの象でもかまわないのに。」

「いや、如来のていさいから言っても、そうはいかないのです。ほんとうに、私はこんな姿をしてまで出しゃばりたくはないのです。いやな奴等がひっぱり出すのです。仏教がさかんになったそうですね。」

「ああ、如来様。早くどうにかして下さい。僕はさっきから臭くて息がつまりそうで死ぬ思いでいたのです。」

「お気の毒でした。」それからちょっと口ごもった。「あなた。私がここへ現われたとき滑稽ではなかったかしら。如来の現われかたにしては、少しぶざまだと思わなかったでしょうか。思ったとおりを言って下さい。」

「いいえ。たいへん結構でした。御立派だと思いましたよ。」

「ほほ。そうですか。」如来は幾分からだを前へのめらせた。「それで安心しました。私はさっきからそれだけが気がかりでならなかったのです。私は気取り屋なのかも知れませんね。これで安心して帰れます。ひとつあなたに、いかにも如来らしい退去のすがたをおめにかけましょう。」言いおわったとき如来はくしゃんとくしゃみを発し、「しまった！」と呟いたかと思うと如来も白象も紙が水に落ちたときのようにすっと透明になり、元素が音もなくみじんに分裂し雲と散り霧と消えた。

僕はふたたび蒲団へもぐって尼を眺めた。尼は眠ったままでにこにこ笑っていた。恍惚の笑いのようでもあるし、侮蔑の笑いのようでもあるし、無心の笑いのようでもあるし、役者の笑いのようでもあるし、諂いの笑いのようでもあるし、喜悦の笑いのようでもあるし、泣き笑いのようでもあった。尼はにこにこ笑いつづけた。笑って笑って笑っているうちに、だんだんと尼は小さくなり、さらさらと水の流れるような音とともに二寸ほどの人形になった。僕は片腕をのばし、その人形をつまみあげ、しさいにしらべた。浅黒い頰は笑ったままで凝結し、雨滴ほどの唇は尚うす赤く、けし粒ほどの白い歯はきっちり並んで生えそろっていた。粉雪ほどの小さい両手はかすかに黒く、松の葉ほど細い両脚は米粒ほどの白足袋を附けていた。僕は墨染めのころものすそをかるく吹いたりなどしてみたのである。

# 走ラヌ名馬

何ヲ書コウトイウ、アテ無クシテ、イワバオ稲荷(イナリ)サンノ境内ニポカント立ッテイテ、面白クモナイ絵馬眺メナガラ、ドウショウカナア、ト心定マラズ、定マラヌママニ、フラフラ歩キ出シテ、腐リカケタル杉ノ大木、根株ニマツワリ、ヘバリツイテイル枯レタ蔦(ツタ)一スジヲ、ステッキデパリパリ剝(ハ)ギトリ、ベツダン深キ意味ナク、ツギニハ、エイット大声、狐ノ石像ニ打ッテカカッテ、コレマタ、ベツダン高イ思念ノ故デナイ。ユライ芸術トハ、コンナモノサ、譬噺(タトエバナシ)デモナシ、修養ノ糧デモナシ、キザナ、メメシイ、売名ノ徒ノ仕事ニチガイナイノダ、ト言ワレテ、カエス言葉ナシ、素直ニ首肯、ソット爪サキ立チ、夕焼ノ雲ヲ見ツメル。

アナタノ小説、友人ヨリ雑誌借リテ読ミマシタガ、アレハ、ツマリ、一言モッテ覆(オオ)エバ、ドンナコトニナルカ、ト詰問(キツモン)サレルコト再三、ソノタビゴトニ悲シク、一言デ言エルコトナラ、一言デ言イマス、アレハアレダケノモノデ、ホカニ言イ様ゴザイマセヌ、以後、ボクノ文章読マナイデ下サイ。

千代紙貼(ハ)リマゼ、キレイナ小箱、コレ、何スルノ？　ナンニモシナイ、コレダケノモノ、キレイデショ？

花火(ハナビ)一パツ、千円以上、ワザワザ川(カワ)デ打チアゲテ何スルノ？

着物、ハダカヲ包メバ、ソレデイイ、柄(ガラ)モ、布地モ、色合イモ、ミンナ意味ナイ、二十五歳ノ男児、一夜、真紅ノ花模様、シカモチリメンノ袷(アワセ)着テ、スベテ着物ニカワリナシ、何ガオカシイ。

アワレ美事！　ト屋根ヤブレルホドノ大喝采(カッサイ)、ソレモ一瞬ノチニハ跡ナク消エル喝采、ソレガ、ホシクテ、ホシクテ、一万円、二万円、モットタクサン投資シタ。昔、昔、ギリシャノ詩人タチ、ソレカラ、ボオドレエル、ヴェルレエヌ、アノ狡(ズル)イ爺サンゲエテ閣下モ、アア、忘レルモノカ芥川龍之介先生ハ、イノチ迄(マデ)。

ケレドモ、所詮、有閑ノ文字(モジ)、無用ノ長物(チョウブツ)タルコト保証スル、飽食暖衣ノアゲクノ果ニ咲イタ花、コノ花ビラハ煮テモ食エナイ、飛バナイ飛行機、走ラヌ名馬、毛並ミツヤツヤ、丸々フトリ、イツモ狸寝、傍ニハ一冊ノ参考書モナケレバ、辞書ノカゲサエナイヨウダ、コレガ御自慢、ペン一本ダケ、ソレカラ特製華麗(カレイ)ノ原稿用紙、ソロソロ、オ約束ノ三枚、三枚、ナンノ意味モナイ、ズイブンスグレタ文章ナノニ、ワカラヌ奴(ヤツ)ニハ、死ヌマデワカラヌ。シカタノナイコト。

# 創生記

——愛ハ惜シミナク奪ウ。

太宰イツマデモ病人ノ感覚ダケニ興ジテ、高邁（コウマイ）ノ精神ワスレテハイナイカ、コンナ水族館ノめだかミタイナ、片仮名、読ミニククテカナワヌ、ナドト佐藤ジイサン、言葉ハ怒リ、内心ウレシク、ドレドレ、ト眼鏡カケナオシテ、エエト、ナニナニ？——海ノ底デネ、青イ袴（ハカマ）ハイタ女学生ガ昆布（コブ）ノ森ノ中、岩ニ腰カケテ考エテイタソウデス、エエ、ホントニ。婦人雑誌ニ出テイタ、潜水夫タチノ座談会。ソノホカニモ水死人、サマザマノスガタデ考エテイルソウデス、白イ浴衣（ユカタ）着タ叔父サンガ、フトコロニ石ヲ一杯イレテ、ヤハリ海ノ底、砂地ヘドッカトアグラカイテ威張ッテイタ。沈没シタ汽船ノ客室ノ、扉ヲアケタラ、五人ノ死人ガ、スット奥カラ出テ来タソウデス。ケレドモ、川ノ中ニイル水死人ハ、立ッタママ、男ハ、キマッテ、頭ヲマエニウナダレ、女ハ、コレモキマッテ、胸ヲ張リ、顔ヲ仰向ニシテ、底ノ砂利ニ、足ガ、カスカニ触レテイルクライ、スックト爪（ツマ）サキ立ッテイルソウデス、川ノ流レニシタガッテ、チョンチョン歩イテイルソウデス、丸マゲ崩レヌヒトリノ女ハ、ゴム人形ダイテ歩イテイタ、ツカンデ見レバ、ソレハ人ノ児、乳房フクンデ眠ッテイタ。

ココマデ書イテ、書ケナクナッタ。コンドハ、私ガ考エタ。カノ昆布ノ森ノ女学生ヨリモ、モット、シズカニ考エタ。四十日ホド考エタ。一日、一日、カク手ガ氾濫（ハンラン）シテ来テ、何ヲ書イテモ、ドンナニ行儀ワルク書イテモ、ドンナニ甘ッタレテ書イテモ、ソレガ、ソンナニ悪イ文章デナシ、ヒトトオリ、マトマリ、ドウニカ小説、佳品、トシテノ体ヲ為シテイル様、コレハ危イ。スランプ。打チサエスレバ、カナラズ安打。走リサエスレバ、必ズ十秒四。十秒三、デモナケレバ、五デモナイ。スランプトハ、コノ様ナ、パッション消エタル白日ノ下ノ倦怠（ケンタイ）、真空管ノ中ノ重サ失ッタ羽毛、ナカナカ、ヤリキレヌモノデアル。時々刻々ノワガ姿、笑ッタ、怒ッタ、マノワルキカッカッ燃ユル頬、トウモロコシムシャムシャ、ヒトリ伏シテメソメソ泣イテイル、スベテ記シテ、ノチノチノ弱キ、ケレドモ温キ若キ人ノタメニ、尊キ文字タルベキコト疑ワズ、ソコガソレ、スランプノモト。

もういい。太宰、いい加減にしたら、どうか。

過善症。

猛然、書きたい朝が来る。その日まで待て。十年。おそしとせず。

## 彼失ワズ（石坂洋次郎氏ノ近作ニツイテ）

ケサ、六時、石坂洋次郎作「麦死ナズ」ニツイテノ、林房雄氏ノ一文、読ンデ、私カカナケレバナルマイト存ジマシタ。多少ノ悲痛ト、決断、カノ小論ノ行間ヲ洗イ流レテ清潔ニ存ジマシタ。文壇、コノ四、五年ナカッタコトダ。ヨキ文章ユエ、若キ真実ノ読者、スナワチ立チテ、君ガタメ、マコト乾杯、痛イッ！　ト飛ビアガルホドノアツキ握手。

石坂氏ハダメナ作家デアル。葛西善蔵先生ハ、旦那芸ト言ウテ深ク苦慮シテ居マシタ。以来、十春秋、日夜転輾、鞭影キミヲ剋シ、九狂一拝ノ精進、師ノ御懸念一掃ノオ仕事シテ居ラレルナラバ、私、何ヲ言オウ、声高ク、「アリガトウ」ト明朗、粛然ノ謝辞ノミ。シカルニ、此ノ頃ノ君、タイヘン失礼ナ小説カイテ居ラレル。家郷追放、吹雪ノ中、妻ト子トワレ、三人ヒシト抱キ合イ、行ク手サダマラズ、ヨロヨロ彷徨、衆人蔑視ノ的タル、誠実、小心、含羞ノ徒、オノレノ百ノ美シサ、一モ言イ得ズ、高円寺ウロウロ、コーヒー飲ンデ明日知レヌ命見ツメ、溜息、他ニ手段ナキ、コレラ一万ノ青年ヲ思エ。貧苦オススメシテイルノデハナイ。コレラ一万ノ正直、シカモ、バカ、疑ウコトサエ知ラヌ弱ク優シキ者、キミヲ畏敬シ、キミノ五百枚ノ精進ニ魂消ユルガ如ク驚キ、ハネ起キテ、兵古帯ズルズル引キズリナガラ書店ヘ駈ケツケ、女房ノヘソクリ盗ンデ短銃買ウガ如キトキメキ、一読、ムセビ泣イテ、三嘆、ワガ身クダラナク汚ク壁ニ頭打チツケタキ思イ、アア、君ノ姿ノミ燦然、日マワリノ花、石坂君、キミハ鶴見祐輔ヲ笑エナイ。理解ノミ。生命ナシ。

ノッソリ出テ来テ、蠅タタキノ如ク、バタットヤッテ、ウムヲ言ワサヌ。五百枚。良心。今ニ見ヨ、ナド匕首ノゾカセタル態ノケチナ仇討チ精進、馬鹿、投ゲ捨テヨ。島崎藤村。島木健作。出稼人根性ヤメヨ。袋カツイデ見事ニ帰郷。被告タル酷烈ノ自意識ダマスナ。ワレコソ苦悩者。刺青カクシタ聖僧。オ辞儀サセタイ校長サン。「話」編輯長。勝チタイ化ケ物。笑ワレマイ努力。作家ドウシハ、片言満了。貴作ニツキ、御自身、再検ネガイマス。真偽看破ノ良策ハ、一作、失エシモノノ深サヲ計レ。「二人殺シタ親モアル。」トカ。

知ルヤ、君、断食ノ苦シキトキニハ、カノ偽善者ノ如ク悲シキ面容ヲスナ。コレ、神ノ子ノ言。超人説ケル小心、恐々ノ人ノ子、笑イナガラ厳粛ノコトヲ語レ、ト秀抜真珠ノ哲人、叫ンデ自責、狂死シタ。自省直ケレバ千万人ト言エドモ、――イヤ、握手ハマダマダ、ソノ楯ノウラノ言葉ヲコソ、「自省直カラザレバ、乞食ト会ッテモ、赤面狼狽、被告、罪人、酒屋ニ飛ビ込ム。」

カツテ私ハ、愛ノ哲人、ヘエゲルノ子デアッタ。哲学ハ、知ヘノ愛デハナクテ、真実ノ知トシテ成立セシムベキ様ノ体系知デアル、ヘエゲル先生ノコノ言葉、一学兄ニ教エラレタ。的言イアテルヨリハ、ワガ思念開陳ノ体系、筋ミチ立チテ在リ、アラワナル矛盾モナシ、一応ノ首肯ニ価スレバ、我事オワレリ、白扇サットヒライテ、スネノ蚊、追イ払ウ。「ナルホド、ソレモ一理窟。」日本、古来ノコノ日常語ガ、スベテヲ語リツクシテイル。首尾ノ一貫、秩序整然。ケサノコノ走リ書モマタ、純粋ノ主観的表白ニアラザルコトハ、皆様承知。プンクト、ナドノ君ノ気持チト思イ合セヨ。急ニ書キタクナクナッタ。

　スベテノ言、正シク、スベテノ言、嘘デアル。所詮ハ筏ノ上ノ組ンヅホツレツデアル、ヨロメキ、ヨロメキ、君モ、私モ、ソレカラ、マタ、林氏、寝ル間モ烈シク一様ニ押シ流サレテ居ルヨウダ。流レ、澱ミテ淵、怒リテハ沸々ノ瀬、懸リテハ滝、果ハ、ミナ一。混トンノ海デアル。肉体ノ死亡デアル。キミノ仕事ノコルヤ、ワレノ仕事ノコルヤ。不滅ノ真理ハ微笑ンデ教エル、「一長一短。」ケサ、快晴、ハネ起キテ、マコト、スパルタノ愛情、君ノ右頬ヲ二ツ、マタ三ツ、強ク打ツ。他意ナシ。林房雄トイウ名ノ一陣涼風ニソソノカサレ、浮カレテナセル業ニスギズ。トリツク怒濤、実ハ楽シキ小波、スベテ、コレ、ワガ命、シバラクモ生キ伸ビテミタイ下心ノ所為、東京ノオリンピック見テカラ死ニタイ、読者ソウカト軽クウナズキ、深キトガメダテ、シテハナラヌゾ。以上。

山上の私語。

「おもしろく読みました。あと、あと、責任もてる？」

「はい。打倒のためにに書いたのでございませぬ。ごぞんじでしょうか。憤怒(ふんぬ)こそ愛の極点。」

「いかって、とくした人ないと古老のことばにもある。じたばた十年、二十年あがいて、古老のシンプリシティの網の中。はははは。そうして、ふり仮名つけたのは？」

「はい。すこし、よすぎた文章ゆえ、わざと傷つけました。きざっぽく、どうしても子供の鎧(よろい)、金糸銀糸。足ながが蜂(ばち)の目さめるような派手な縞模様(しまもよう)は、蜂の親切。とげある虫ゆえ、気を許すな。この腹の模様めがけて、撃て、撃て。すなわち動物学の警戒色。先輩、石坂氏への、せめて礼儀と確信ございます。」


われとわが作品へ、一言の説明、半句の弁解、作家にとっては致命の恥辱、文いたらず、人いたらぬこと、深く責めて、他意なし、人をうらまず独り、われ、厳酷の精進、これわが作家行動十年来の金科玉条、苦しみの底に在りし一夜も、ひそかにわれを慰め、しずかに微笑ませたこと再三ならずございました。けれども、一夜、転輾(てんてん)、わが胸の奥底ふかく秘め置きし、かの、それでもやっと一つ残し得たかなしい自矜(じきょう)、若きいのち破るとも孤城、まもり抜きますとバイロン卿に誓った掟、苦しき手錠、重い鉄鎖、いま豁然一笑、投げ捨てた。豚に真珠、豚に真珠、未来永劫、ほう、真珠だったのか、おれは嘲って、恥かしい、など素直にわが過失みとめての謝罪どころか、おれは先から知っていたねえ、このひと、ただの書生さんじゃないと見込んで、去年の夏、おれの畑のとうもろこし、七本ばっか呉れてやったことがあります。まことは、二本。そのほか、処々の無智ゆえに情薄き評定の有様、手にとるが如く、眼前に真しろき滝を見るよりも分明、知りつつもわれ、真珠の雨、のちのち、わがためのブランデス先生、おそらくは、わが死後、――いやだ！

真珠の雨。無言の海容。すべて、これらのお慈悲、ひねこびた倒錯の愛情、無意識の女々しき復讐心より発するものと知れ。つね日頃より貴族の出を誇れる傲縦のマダム、かの女の情夫のあられもない、一路物慾、マダムの丸い顔、望見するより早く、お金くれえ、お金くれえ、と一語は高く、一語は低く、日毎夜毎のお念仏。おのれの愛情の深さのほどに、多少、自負もっていたのが、破滅のもと、腕環投げ、頸飾り投げ、五個の指環の散弾、みんなあげます、私は、どうなってもいいのだ、と流石に涙あふれて、私をだますなら、きっと巧みにだまして下さい、完璧にだまして下さい、私はもっともっとだまされたい、もっともっと苦しみたい、世界中の弱き女性の、私は苦悩の選手です、などすこし異様のことさえ口走り、それでも母の如きお慈悲の笑顔わすれず、きゅっと抓んだしんこ細工のような小さい鼻の尖端、涙からまって唐辛子のように真赤に燃え、絨毯のうえをのろのろ這って歩いて、先刻マダムの投げ捨てたどっさり金銀かなめのもの、にやにや薄笑いしながら拾い集めて居る十八歳、寅の年生れの美丈夫、ふとマダムの顔を盗み見て、ものの美事の唐辛子、少年、わあっと歓声、やあ、マダムの鼻は豚のちんちん。

可愛そうなマダム。いずれが真珠、いずれが豚、つくづく主客てんとうして、今は、やけくそ、お嫁入り当時の髪飾り、かの白痴にちかき情人の写真しのばせ在りしロケットさえも、バンドの金具のはて迄。すっからかん。与えるに、ものなき時は、安（とだけ書いて、ふと他のこと考えて、六十秒もかからなかった筈なれども、放心の夢さめてはっと原稿用紙に立ちかえり書きつづけようとしてはたと停とん、安という一字、いったい何を書こうとしていたのか、三つになったばかりの早春死んだ女児の、みめ麗わしく心もやさしく、釣糸嚙み切って逃げたなまずは呑舟の魚くらいにも見えるとか、忘却の淵に引きずり込まれた五、六行の言葉、たいへん重大のキイノオト。惜しくてならぬ。浮いて来い！　浮いて来い！　真実ならば浮いて来い！　だめだ。）

これでもか、これでもか、と豚に真珠の慈雨あたえる等の事は、右の頬ならば、左の頬をも、というかの神の子の言葉の具象化でない。人の子の愛慾独占の汚い地獄絵、はっきり不正の心ゆえ、きょうよりのち、私、一粒の真珠をもおろそかに与えず、豚さん、これは真珠だよ、石ころや屋根の瓦とは違うのだよ、と懇切ていねい、理解させずば止まぬ工合いの、けちな啓蒙、指導の態度、もとより苦しき茨の路、けれども、ここにこそ見るべき発芽、創生うごめく気配のあること、確信、ゆるがず。

きょうよりのちは堂々と自註その一。不文の中、ところどころ片仮名のページ、これ、わが身の被告、審判の庭、霏々たる雪におおわれ純白の鶴の雛一羽、やはり寒かろ、首筋ちぢめて童子の如く、甘えた語調、つぶらに澄める瞳、神をも恐れず、一点いつわらぬ陳述の心ゆえに、一字一字、目なれず綴りにくき煩瑣いとわず、かくは用いしものと知りたまえ。

「これは、あかい血、これは、くろい血。」ころされた蚊、一匹、一匹、はらのふとい死骸を、枕頭の「晩年」の表紙の上にならべて、家人が、うたう。盗汗の洪水の中で、眼をさまして家人の、そのような芝居に顔をしかめる。「気のきいたふうの夕刊売り、やめろ。」夕刊売り。孝女白菊。雪の日のしじみ売り、いそぐ俥にたおされてえ。風鈴声。そのほかの、あざ笑いの言葉も、このごろは、なくなって、枕もとの電気スタンドぼっと灯って居れば、あれは五時まえ、消えて居れば、しめた五時半、ものも言わず蚊帳を脱けだし、兵古帯ひきずり、一路、お医者へ。お医者。五時半になれば、看護婦ひとり起きて、玄関わきの八つ手に水をかけたり、砂利道、掃いたり、片眼ねむって、おもい門を丁度その時ぎいとあけていたり、こんなもの、人間の気がしない。嘘です。あなたの眠さ、あなたの笑い、あの昼日中、エプロンのかな糸のくず、みんな、そのまんまにもらってしまって、それゆえ、小説も書けないのです。おまえに限ったことではない、書け、書け、苦しさ判って居る、ほんとうか！　とおもわず大声たてて膝のむきかえたら、きみ、にやにや卑しく笑って遠のいた癖に、おれの苦しさ、わかるものかい。

あかい血、くろい血。これ、わかるか。家人を食った蚊の腹は、あかく透きとおり、私を食った蚊の腹は、くろく澱んで、白紙にこぼれて、かの毒物のにおいがする。「蚊も、まやくの血をのんでは、ふらふら。」というユウモラスな意味をふくんだ、あかい血、くろい血。おのれの、はじめの短篇集、「晩年」の中の活字のほかの活字は、読まず、それもこのごろは、つまらないつまらない、と言いだして、内容覗かず、それでも寝るときは忘れず枕もとへ置いて寝て、病気見舞いのひとりの男、蚊帳のそとに立ってその様を見て立ったまま泣いて、鼻をかむ音で中の病人にそれとさとられてしまった一夜もある。

「一、起誓のこと。おそらく、生涯に、いちど、の、ことでしょう。今夜、一夜、だまって、

（笑わずに）ほんとに、だまって、お医者へいって、あと一つ、たのんで来て下さい。たのみます。生涯に、このようなこと、二度とございませぬ。私を信じて、そうして、私も鬼でない以上、今夜のお前の寛大のためにだけでも、悪癖よさなければならぬ。以上、一言一句あやまちなし。この起誓の文章やぶらず、保存して置いて下さい。十年、二十年のちには、わが家の、否、日本の文学史にとっての、宝となります。年、月、日。
なお、お医者へは、小切手、明日、お金にかえて支払いますと言って下さい。明日、なんとかして、ほんとにお金こしらえるつもり。慚愧、うちに居ること不能ゆえ、海へ散歩にいって来ます。承知とならば、玄関の電灯ともして置いて下さい。」

家人は、薬品に嫉妬していた。家人の実感に聞けば、二十年くらいまえに愛撫されたことございます、と疑わず断定できるほどのものであった。とき折その可能を、ふと眼前に、千里韋駄天、万里の飛翔、一瞬、あまりにもわが身にちかく、ひたと寄りそわれて仰天、不吉な程に大きな黒アゲハ、もしくは、なまあたたかき毛もの蝙蝠、つい鼻の先、ひらひら舞い狂い、かれ顔面蒼白、わなわなふるえて、はては失神せんばかりの烈しき歔欷。婆さん、しだいに慾が出て来て、あの薬さえなければ、とつくづく思い、一夜、あるじへ、わが下ごころ看破されぬようしみじみ相談持ち掛けたところ、あるじ、はね起きて、病床端坐、知らぬは彼のみ、太宰ならばこの辺で、襟掻きなおして両眼とじ、おもむろに津軽なまり発したいところさ、など無礼の雑言、かの虚栄の巷の数百の喫茶店、酒の店、おでん支那そば、下っては、やきとり、うなぎの頭、焼ちゅう、泡盛、どこかで誰か一人は必ず笑って居る。これは十目の見るところ、百聞、万犬の実、その夜も、かれは、きゅっと口一文字かたく結んで、腕組みのまま長考一番、やおら御異見開陳、言われるには、――おまえは、楯に両面あることを忘れてはいけません。金と銀と、二面あります。おまえは、この楯、ゴオルデンよ、と嘘の英語つかいながらも、おまえの見たままの実相あやまたず表現し得た。薬品の害については、おまえよりも私のほうが、よく知って居ります。けれども、おまえは、その楯に、もう一面のあることを、知って置かなければなりません。その楯は、金であるし銀でもある。また、同様に、金でもなければ銀でもない。金と銀と、両面の楯であって、おまえは、楯の片面の金色を、どんなに強く主張してもいいわけだ。けれども、その主張の裏に銀の面の存在をもちゃんと認めて、そのうえの主張でなければならない。狡猾の駈け引きの如くに思われるだろうが、かまわないのだ、それが正しいのだ。決して嘘いつわりの主張でもなければ、ごまかしの態度でもない。世の中、それでいいのだ。このような客観的の認識、自問自答の気の弱りの体験者をこそ、真に教養されたと言うてよいのだ。異国語の会話は、横浜の車夫、帝国ホテルの給仕人、船員、火夫に、――おい！　聞いて居るのか。はい、わたくし、急にあらたまるあなたの口調おかしくて、ふとんかぶってこらえてばかりいました。ああ、くるしい。家人のつつましい焔、清潔の満潮、さっと涼しく引いた様子で、私も内心ほっとしていた。それは残念でしたねえ、もういちど繰り返して教えてもいいんだが、――。家人、右の手のひらをひくい鼻の先に立てて片手拝みして、もうわかった。いつも同じ教材ゆえ、たいてい諳誦して居ります。お酒を呑めば血が出るし、この薬でもなかった日には、ぼくは、とうの昔に自殺している。でしょう？　私、答えて、うむ、わが論つたなくとも楯半面の真理。

このように巧い結末を告げるときもあれば、また、――おれが、どのように恥かしくて、この押入れの前に呆然たちつくして居るか、穴あればはいりたき実感いまより一そう強烈の事態にたちいたらば、のこのこ押入れにはいろう魂胆、そんなばかげた、いや、いや、それもある、けれども、その他にも何か、うむ、押入れには、おまえに見せたくない手紙か何かある故、そんな秘めたるいいことあるくらいなら、おれは、何を好んでこの狭小の家に日がな一日、ごろごろしていようぞ、そんなことじゃないのだ。おれはいま、眼のさきまっくろになって、しいんと地獄へ落ちてゆく身の上になってしまったのだ。おのれの意志では、みじんも動けぬ。うふふ、死骸じゃよ。底のない墜落、無間奈落を知って居るか、加速度、加速度、流星と同じくらいのはやさで、落下しながらも、少年は背丈のび、暗黒の洞穴、どんどん落下しながら手さぐりの恋をして、落下の中途にて分娩、母乳、病い、老衰、いまわのきわの命、いっさい落下、死亡、不思議やかなしみの嗚咽、かすかに、いちどあれは鷗の声か。落下、落下、死体は腐敗、蛆虫も共に落下、骨、風化されて無、風のみ、雲のみ、落下、落下――。など、多少、いやしく調子づいたおしゃべりはじめて、千里の馬、とどまるところなき言葉の洪水、性来、富者万灯の御祭礼好む軽薄の者、とし甲斐もなく、夕食の茶碗、塗箸もて叩いて、われとわが饒舌に、ま、狸ばやしとでも言おうか、えたい知れぬチャンチャンの音添えて、異様のはしゃぎかた、いいことないぞ、と流石に不安、すこしずつ手綱引きしめて、と思いいたった、とたんにわが家の他人、「てれかくしたくさん。たいした苦心ね。（たのむ、お医者へ）と一言でよかったのにねえ。」

「おい、おい。おめえ、――」

「かんにん、かんにん。」

自分のちからでは、制止できぬ鬼、かなしいことには、制止できぬ泣きむし。めちゃめちゃめちゃ。「かんにんして、ね、声だけでも低く、ね。」

「おれのせいじゃないんだ。すべて神様のお思召さ。おれは、わるくないんだ。けれども、前生に亭主を叱る女か何か、ひどく汚いものだったために、今その罰を受けているのだ。だまって耳をすませば、おれのその前生の女の、わめき声が、地の底の底から、ここまで聞えて来るような気がするのだ。愛は言葉だ。おれたち、弱く無能なのだから、言葉だけでもよくして見せよう。その他のこと、人をよろこばせてあげ得る何をおれたち持っているのか。口には言えぬが私は誠実でございます、か。牧野君から聞いたか？　どんづまりのどん底、おのれの誠実だけは疑わず、いたる所、生命かけての誠実ひれきし、訴えても、ただ、一路ルンペンの土管の生活にまで落ちてしまって、眼をぱちくり、三日三晩ねむらず考えてやっと判った。おのれの誠実うたがわず、主観的なる盲目の誇りが、あのいい人を土管の奥まで追いつめた。おのれ、一点みるべきものなし、日夜きょうきょうの厳酷の反省こそは、まことの誠実。ああ、やっぱり、愛は言葉だ。おれは、友人の不名誉の病い慰めようと、一途に、それのみ思いつめ、われからすすんで病気になった。けれども、そんなこと、みんなだめ。誰も信じて呉れぬのだ。同じころ、突如一友人にかなりの金額送って、酒か旅行に使いたまえ。今月の小使銭あまってしまったのです、と本心かきしたためた筈でございましたが、また失敗。友人、太宰にやましきことあり、そのうち御助力たのみに来るぞ、と思ったらしく、この推察は、のち、当の友人に聞いてたしかめ、そうで、それでも酒のんで遊んだそうだが、何だか不安で、愉快でなかった由にて、あれといい、これといい、その後ながいこと、友人たちの物笑いになっていた。その当の病気の友人さえ、おれの火の愛情を理解しては呉れなかった。無言の愛の表現など、いまだこの世に実証ゆるされていないのではないか。その光栄の失敗の五年の後、やはり私の一友人おなじ病いで入院していて、そのころのおれは、巧言令色の徳を信じていたので、一時間ほど、かの友人の背中さすって、尿器の世話、将来一点の微光をさえともしてやった。わが肉体いちぶいちりん動かさず、すべて言葉で、おかゆ一口一口、銀の匙もて啜らせ、あつものに浮べる青い三つ葉すくって差しあげ、すべてこれ、わが寝そべって天井ながめながらの巧言令色、友人は、ありがとうと心からの謝辞、ただちにグルウプ間に美談として語りつがれて、うるさきことのみ多かった。それは、おまえも知っている筈。くやしいのだ。残念なのだ。おまえに聞かせる。いいか。ほんとうのことを、まさしくその通りに、美事に言い当てるものじゃないよ。わざとしくじる楽しさを知れ。キミガ美シキ失敗ヲ祝ス。ホントニ。ひとり恥ずかしく日夜悶悶、陽のめも見得ぬ自責の痩狗あす知れぬいのちを、太陽、さんと輝く野天劇場へわざわざ引っぱり出して神を恐れぬオオルマイティ、遅疑もなし、恥もなし、おのれひとりの趣味の杖にて、わかきものの生涯の行路を指定す。かつは罰し、かつは賞し、雲の無軌道、このようなポオズだけの化け物、盗みも、この大人物の悪に較べて、さしつかえなし、殺人でさえ許されるいまの世、けれども、もっとも悪い、とうてい改悛の見込みなき白昼の大盗、十万百万証拠の紙幣を、つい鼻のさきに突きつけられてさえ、ほう、たくさんあるのう、奉納金かね？党へ献上の資金かね？　わあっはっはっ、と無気味妖怪の高笑いのこして立ち去り、おそらくは、生れ落ちてこのかた、この検事局に於ける大ポオズだけを練習して来たような老いぼれ、清水不住魚、と絹地にしたため、あわれこの潔癖、ばんざいだのうと陣笠、むやみ矢鱈に手を握り合って、うろつき歩き、ついには相抱いて、涙さえ浮べ、ば、ばんざい！　笑い話じゃないぞ、おまえはこの陣笠を笑えない。この陣笠は、立派だ。理智や、打算や策略には、それこそ愛の魚メダカ一匹住み得ぬのだ。教えてやる。愛は、言葉だ。山内一豊氏の十両、ほしいと思わぬ。もいちど言う、言葉で表現できぬ愛情は、まことに深き愛でない。むずかしきこと、どこにも無い。むずかしいものは愛でない。盲目、戦闘、狂乱の中にこそより多くの真珠が見つかる。『私、――なんにも、――』そうして、しとやかにお辞儀して、それだけでも、かなりの思い伝え得るのだ。いまの世の人、やさしき一語に飢えて居る。ことにも異性のやさしき一語に。明朗完璧の虚言に、いちど素直にだまされて了いたいものさね。このひそやかの祈願こそ、そのまま大悲大慈の帝王の祈りだ。」もう眠っている。ごわごわした固い布地の黒色パンツひとつ、脚、海草の如くゆらゆら、突如、かの石井漠氏振附の海浜乱舞の少女のポオズ、こぶし振あげ、両脚つよくひらいて、まさに大跳躍、そのような夢見ているらしく、蚊帳の中、蚊群襲来のうれいもなく、思うがままの大活躍。作家の妻、頭するどきこと見せてやろう、一言、口をはさんだのが失敗のもと、はっと気附いたときは、遅かった。散々の殴打。低く小さい、鼻よりも、上唇一、二センチ高く腫れあがり、別段、お岩様を気にかけず、昨夜と同じに熟睡うまそう、寝顔つくづく見れば、まごうかたなき善人、ひるやかましき、これも仏性の愚妻の一人であった。

## 山上通信

太宰治

けさ、新聞にて、マラソン優勝と、芥川賞と、二つの記事、読んで、涙が出ました。孫という人の白い歯出して力んでいる顔を見て、この人の努力が、そのまま、肉体的にわかりました。それから、芥川賞の記事を読んで、これに就(つ)いても、ながいこと考えましたが、なんだか、はっきりせず、病床、腹這(はらば)いのまま、一文、したためます。

先日、佐藤先生よりハナシガアルからスグコイという電報がございましたので、お伺い申しますと、お前の「晩年」という短篇集をみんなが芥川賞に推していて、私は照れくさく小田君など長い辛棒(しんぼう)の精進に報いるのも悪くないと思ったので、一応おことわりして置いたが、お前ほしいか、というお話であった。私は、五、六分、考えてから、返事した。話に出たのなら、先生、不自然の恰好(かっこう)でなかったら、もらって下さい。この一年間、私は芥川賞のために、人に知られぬ被害を受けて居ります。原稿かいて、雑誌社へ持って行っても、みんな、芥川賞もらってからのほうが、市価数倍せむことを胸算して、二ケ月、三ケ月、日和見、そのうちに芥川賞素通して、拙稿返送という憂目、再三ならずございました。記者諸君。芥川賞と言えば、必ず、私を思い浮べ、または、逆に、太宰と言えば、必ず、芥川賞を思い浮べる様子にて、悲惨のこと、再三ならずございました。これは私よりも、家人のほうがよく知って居ります。川端氏も私のこととなると、言葉のままに受けずに裏あるかの如く用心深くなってしまう様子で、私にはなんの匕首もなく、かの人のパッション疑わず、遠くから微笑みかけているのに、かなしく思うことございます。お気になさらず、もらって下さい、とお願いして、先生も、よし、それでは、不自然でなかったら言ってみます、ほかの多数の人からずいぶん強く推されて居るのだから、不自然のこともなかろう、との御言葉いただき、帰途、感慨、胸にあふれるものございました。それから、先生より、かくべつのお便りもなく、万事、自然に話すすんで居ることとのみ考え、ちかき人々にも、ここだけの話と前置きして、よろこびわかち、家郷の長兄には、こんどこそ、お信じ下さい、と信じて下さるまい長兄のきびしさもどかしく思い、七日、借銭にてこの山奥の温泉に来り、なかば自炊、粗末の暮しはじめて、文字どおり着た切り雀、難症の病い必ずなおしてからでなければ必ず下山せず、人類最高の苦しみくぐり抜けて、わがまことの創生記、（それも、はじめは、照れくさくて、そうせい記と平仮名で書いていたのが、今朝、建国会の意気にて、大きく、創生記。）きっと書いてあげます、芥川賞授賞者とあれば、かまえて平俗の先生づら、承知、おとなしく、健康の文壇人になりましょう、と先生へおたより申し、よろしく御削除、御加筆の上、文芸賞もらった感想文として使って、など苦しいこともあり、これは、あとあとの、笑い話、いまは、切実のこと、わが宿の払い、家人に夏の着物、着換え一枚くらいは、引きだしてやりたく、（ああ、五百円もらうのと、ちがうなあ。）家賃、それから諸支払い、借銭利息、船橋の家に在る女房どうして居るか、ははは、オドチャには一銭もなし、いや、小使銭三十九銭、机の上にございます。いやだ。いやだ。こんな奴が、「芥川賞楽屋噺（がくやばなし）」など、面白くない原稿かいて、実話雑誌や、菊池寛のところへ、持ち込み、殴られて、つまみ出されて、それでも、全部見抜いてしまってあるようなべっとり油くさいニヤニヤ笑いやめない汚いものになるのであろうと思いました。今から、また、また、二十人に余るご迷惑おかけして居る恩人たちへお詫びのお手紙、一方、あらたに借銭たのむ誠実吐露（とろ）の長い文、もう、いやだ。勝手にしろ。誰でもよい、ここへお金を送って下さい、私は、肺病をなおしたいのだ。（群馬県谷川温泉金盛館。）ゆうべ、コップでお酒を呑んだ。誰も知らない。

　八月十一日。ま白き驟雨（しゅうう）。

尚（なお）、この四枚の拙稿、朝日新聞記者、杉山平助氏へ、正当の御配慮、おねがい申します。

右の感想、投函して、三日目に再び山へ舞いもどって来たのである。三日、のたうち廻り、今朝快晴、苦痛全く去って、日の光まぶしく、野天風呂にひたって、谷底の四、五の民屋見おろし、このたび杉山平助氏、ただちに拙稿を御返送の労、素直にかれのこの正当の御配慮謝し、なお、私事、けさ未明、家人めずらしき吉報持参。山をのぼってやって来た。中外公論よりの百枚以上の小説かきたまえ、と命令、よき読者、杉山氏へのわが寛大の出来すぎた謝辞とを思い合せて、まことと健康の祝意示して、そっと微笑み、作家へ黙々握手の手、わずかに一市民の創生記、やや大いなる名誉の仕事与えられて、ほのぼのよみがえることの至極、フランク、穏当のことと存じます。

幾日か経って、杉山平助氏が、まえの日ちらと読んだ「山上通信」の文章を、うろ覚えのままに、東京のみんなに教えて、中村地平君はじめ、井伏さんのお耳まで汚し、一門、たいへん御心配にて、太宰のその一文にて、もしや、佐藤先生お困りのことあるまいかと、みなみな打ち寄りて相談、とにかく太宰を呼べ、と話まとまって散会、――のち、――荻窪の夜、二年ぶりにて井伏さんのお宅、お庭には、むかしのままに夏草しげり、書斎の縁側にて象棋さしながらの会話。

「若しや、先生へご迷惑かかったら、君、ねえ、――。」

「ええ、それは、――。けれども、先生、傷がつくにも、つけようございませぬ。山上通信は、私の狂躁、凡夫尊俗の様などを表現しよう、他にこんたんございません。先生の愛情については、どんなことがあろうたって、疑いません。こんどの中外公論の小説なども、みんな、――」

「うん、まあ、――。」

「みんな、だまって居られても、ちゃんと、佐藤先生のお力なのです。」

「そうだ、そうだ。」

「忘れようたって、忘れないのだし、――」

「うん、うん、――」

だんだん象棋の話だけになっていった。

# 音に就いて

文字を読みながら、そこに表現されてある音響が、いつまでも耳にこびりついて、離れないことがあるだろう。高等学校の頃に、次のような事を教えられた。マクベスであったか、ほかの芝居であったか、しらべてみれば、すぐ判るが、いまは、もの憂く、とにかくシェクスピア劇のひとつであることは間違いない、とだけ言って置いて、その芝居の人殺しのシイン、寝室でひそかにしめ殺して、ヒロオも、われも、瞬時、ほっと重くるしい溜息。額の油汗拭わむと、ぴくとわが硬直の指うごかした折、とん、とん、部屋の外から誰やら、ドアをノックする。ヒロオは、恐怖のあまり飛びあがった。ノックは、無心に、つづけられる。とん、とん、とん。ヒロオは、その場で気が狂ったか、どうか、私はその後の筋書を忘れてしまった。

油地獄にも、ならずものの与兵衛とかいう若い男が、ふとしたはずみで女を、むごたらしく殺してしまって、その場に茫然立ちつくしていると、季節は、ちょうど五月、まちは端午の節句で、その家の軒端の幟が、ばたばたばたばたと、烈風にはためいている音が聞えて淋しいとも侘びしいとも与兵衛が可愛そうでならなかった。五人女にも、於七が吉三のところへ夜決心してしのんで行って、突如、からからと鈴の音、たちまち小僧に、あれ、おじょうさんは、よいことを、と叫ばれ、ひたと両手合せて小僧にたのみいる、ところがあったと覚えているが、あの思わざる鈴の音には読むものすべて、はっと魂消したにちがいない。

まだ誰も邦訳していないようだが、プロフェッサアという小説、作者は女のひと、別なもう一つの長篇小説で、なにかの文庫で日本にその名を紹介せられた筈であるが、その作者の名も、その長篇小説の名も、その文庫の名もすべて、いますぐ思い出せない。これとて、しらべてみれば、判るのだが、いま、その必要を認めない。プロフェッサアという小説は、さる田舎の女学校の出来事を叙したものであって、放課後、余人ひとりいないガランとした校舎、たそがれ、薄暗い音楽教室で、男の教師と、それから主人公のかなしく美しい女のひとと、ふたりきりひそひそ世の中の話を語っているのであるが、秋風が無人の廊下をささと吹き過ぎて、いずこか遠い扉が、ばたん、と音たてる。いよいよ森閑として、読者は、思わずこの世のくらしの侘びしさに身ぶるいをする、という様な仕組みになっていた。

同じ扉の音でも、まるっきり違った効果を出す場合がある。これも作者の名は、忘れた。イギリスのブルウストッキングであるということだけは、間違いないようだ。ランタアンという短篇小説である。たいへん難渋の文章で、私は、おしまいまで読めなかった。神魂かたむけて書き綴った文章なのであろう。細民街のぼろアパアト、黄塵白日、子らの喧噪、バケツの水もたちまちぬるむ炎熱、そのアパアトに、気の毒なヘロインが、堪えがたい焦躁に、身も世もあらず、もだえ、のたうちまわっているのである。隣りの部屋からキンキン早すぎる廻転の安蓄音器が、きしりわめく。私は、そこまで読んで、息もたえだえの思いであった。

ヘロインは、ふらふら立って鎧扉を押しあける。かっと烈日、どっと黄塵。からっ風が、ばたん、と入口のドアを開け放つ。つづいて、ちかくの扉が、ばたんばたん、ばたんばたん、十も二十も、際限なく開閉。私は、ごみっぽい雑巾で顔をさかさに撫でられたような思いがした。みな寝しずまったころ、三十歳くらいのヘロインは、ランタアンさげて腐りかけた廊下の板をぱたぱた歩きまわるのであるが、私は、いまに、また、どこか思わざる重い扉が、ばたあん、と一つ、とてつもない大きい音をたてて閉じるのではなかろうかと、ひやひやしながら、読んでいった。

ユリシイズにも、色様々の音が、一杯に盛られてあった様に覚えている。

音の効果的な適用は、市井文学、いわば世話物に多い様である。もともと下品なことにちがいない。それ故にこそ、いっそう、恥かしくかなしいものなのであろう。聖書や源氏物語には音はない。全くのサイレントである。

HUMAN LOST

思いは、ひとつ、窓前花。

十三日。　なし。

十四日。　なし。

十五日。　かくまで深き、

十六日。　なし。

十七日。　なし。

十八日。

　ものかいて扇ひき裂くなごり哉(かな)

　ふたみにわかれ

十九日。

　十月十三日より、板橋区のとある病院にいる。来て、三日間、歯ぎしりして泣いてばかりいた。銅貨のふくしゅうだ。ここは、気ちがい病院なのだ。となりの部屋の若旦那(わかだんな)は、ふすまをあけたら、浴衣(ゆかた)がかかっていて、どうも工合いがわるかった、など言って、みんな私よりからだが丈夫で、大河内昇とか、星武太郎などの重すぎる名を有し、帝大、立大を卒業して、しかも帝王の如く尊厳の風貌をしている。惜しいことには、諸氏ひとしく自らの身の丈(たけ)よりも五寸ほどずつ恐縮していた。母を殴(なぐ)った人たちである。

　四日目、私は遊説(ゆうぜい)に出た。鉄格子と、金網(かなあみ)と、それから、重い扉、開閉のたびごとに、がちん、がちん、と鍵(かぎ)の音。寝ずの番の看守、うろ、うろ。この人間倉庫の中の、二十余名の患者すべてに、私のからだを投げ捨てて、話かけた。まるまると白く太った美男の、肩を力一杯ゆすってやって、なまけもの！　と罵(ののし)った。眼のさめて在る限り、枕頭の商法の教科書を百人一首を読むような、あんなふしをつけて大声で読みわめきつづけている一受験狂に、勉強やめよ、試験全廃だ、と教えてやったら、一瞬ぱっと愁眉をひらいた。うしろ姿のおせん様というあだ名の、セル着たる二十五歳の一青年、日がな一日、部屋の隅、壁にむかってしょんぼり横坐りに居崩れて坐って、だしぬけに私に頭を殴られても、僕はたった二十五歳だ、捨てろ、捨てろ、と低く呟きつづけるばかりで私の顔を見ようとさえせぬ故、こんどは私、めそめそするな、と叱って、力いっぱいうしろから抱いてやって激しくせきにむせかえったら、青年いささか得意げに、放せ、放せ、肺病がうつると軽蔑して、私は有難くて泣いてしまった。元気を出せ。みんな、青草原をほしがっていた。私は、部屋へかえって、「花をかえせ。」という帝王の呟きに似た調子の張った詩を書いて、廻診しに来た若い一医師にお見せして、しんみに話合った。午睡という題の、「人間は人間のとおりに生きて行くものだ。」という詩を書いてみせて、ふたりとも、顔を赤くして笑った。五六百万人のひとたちが、五六百万回、六七十年つづけて囁き合っている言葉、「気の持ち様。」というこのなぐさめを信じよう。僕は、きょうから涙、一滴、見せないつもりだ。ここに七夜あそんだならば、少しは人が変ります。豚箱などは、のどかであった。越中富山の万金丹でも、熊の胃でも、三光丸でも五光丸でも、ぐっと奥歯に嚙みしめて苦いが男、微笑、うたを唄えよ。私の私のスウィートピイちゃん。

あら、

あたし、
いけない
女？

ほらふきだとさ、
わかっているわよ。

虹(にじ)よりも、
それから、
しんきろうよりも、きれいなんだけれど。

いけない？

一週間、私は誰とも逢っていません。面会、禁じられて、私は、投げられた様に寝ているが、けれども、これは熱のせいで、いじめられたからではない。みんな私を好いている。Iさん、一生にいちどのたのみだ、はいって呉れ、と手をつかぬばかりにたのんで下さって、ありがとう。私は、どうしてこんなに、情が深くなったのだろう。Kでも、Yでも、Hさんでも、Dはうろうろ、Yのばか、善四郎ののろま、Y子さん。逢いたくて、逢いたくて、のたうちまわっているんだよ。先生夫婦と、Kさん夫婦と、Fさん夫婦、無理矢理つれて、浅虫へ行こうか、われは軍師さ、途中の山々の景色眺めて、おれは、なんにも要らない。

乃公（だいこう）いでずんば、蒼生（そうせい）をいかんせむ、さ。三十八度の熱を、きみ、たのむ、あざむけ。プウシュキンは三十六で死んでも、オネエギンをのこした。不能の文字なし、とナポレオンの歯ぎしり。

けれども仕事は、神聖の机で行え。そうして、花を、立ちはだかって、きっぱりと要求しよう。

立て。権威の表現に努めよ。おれは、いま、目の見えなくなるまで、おまえを愛している。


「日没の唄。」


蟬（せみ）は、やがて死ぬる午後に気づいた。ああ、私たち、もっと仕合せになってよかったのだ。もっと遊んで、かまわなかったのだ。いと、せめて、われに許せよ、花の中のねむりだけでも。

ああ、花をかえせ！（私は、目が見えなくなるまでおまえを愛した。）ミルクを、草原を、雲、——（とっぷり暮れても嘆くまい。私は、——なくした。）

「一行あけて。」

あとは、なぐるだけだ。

「花一輪。」

サインを消せ
みんなみんなの合作だ
おまえのもの
私のもの
みんなが
心配して心配して
　　やっと咲かせた花一輪
ひとりじめは
　　ひどい
どれどれ

わしに貸してごらん
やっぱり
じいさん
ひとりじめの机の上
いいんだよ
さきを歩く人は
白いひげの
　羊飼いのじいさんに
きまっているのだ
みんなのもの
サインを消そう
みなさん
みなさん
おつかれさん
　犬馬の労
骨を折って

　　やっと咲かせた花一輪
やや
お礼わすれた
声をそろえて
ありがとう、よ、ありがとう！

　　（聞えたかな？）

二十日。
この五、六年、きみたち千人、私は、ひとり。
二十一日。
罰。
二十二日。

死ねと教えし君の眼わすれず。

二十三日。

「妻をののしる文。」

私が君を、どのように、いたわったか、君は識っているか。どのように、いたわったか。どのように、賢明にかばってやったか。お金を欲しがったのは、誰であったか。私は、筋子に味の素の雪きらきら降らせ、納豆に、青のり、と、からし、添えて在れば、他には何も不足なかった。人を悪しざまにののしったのは、誰であったか。閨の審判を、どんなにきびしく排撃しても、しすぎることはない、と、とうとう私に確信させてしまったほどの功労者は、誰であったか。無智の洗濯女よ。妻は、職業でない。妻は、事務でない。ただ、すがれよ、頼れよ、わが腕の枕の細きが故か、猫の子一匹、いのち委ねては眠って呉れぬ。まことの愛の有様は、たとえば、みゆき、朝顔日記、めくらめっぽう雨の中、ふしつ、まろびつ、あと追うてゆく狂乱の姿である。君ひとりの、ごていしゅだ。自信を以て、愛して下さい。

一豊の妻など、いやなこった。だまって、百円のへそくり出されたとて、こちらは、いやな気がするだけだ。なんにも要らない。はい、と素直な返事だけでも、してお呉れ。すみません、と軽い口調で一言そっと、おわびをなさい。君は、無智だ。歴史を知らぬ。芸術の花うかびたる小川の流れの起伏を知らない。陋屋の半坪の台所で、ちくわの夕食に馴れたる盲目の鼠だ。君には、ひとりの良人を愛することさえできなかった。かつて君には、一葉の恋文さえ書けなかった。恥じるがいい。女体の不言実行の愛とは、何を意味するか。ああ、君のぼろを見とどけてしまった私の眼を、私自身でくじり取ろうとした痛苦の夜々を、知っているか。

人には、それぞれ天職というものが与えられています。君は、私を嘘つきだと言った。もっと、はっきり言ってごらん。君こそ私をあざむいている。私は、いったい、どんな嘘をついたというのだ。そうして、もっと重大なことには、その具体的の結果が、どうなったか。記録的にお知らせ願いたいのだ。

人を、いのちも心も君に一任したひとりの人間を、あざむき、脳病院にぶちこみ、しかも完全に十日間、一葉の消息だに無く、一輪の花、一個の梨の投入をさえ試みない。君は、いったい、誰の嫁さんなんだい。武士の妻。よしやがれ！　ただ、T家よりの銅銭の仕送りに小心よくよく、或いは左、或いは右。真実、なんの権威もない。信じないのか、妻の特権を。含羞は、誰でも心得ています。けれども、一切に眼をつぶって、ひと思いに飛び込むところに真実の行為があるのです。できぬとならば、「薄情。」受けよ、これこそは君の冠。

人、おのおの天職あり。十坪の庭にトマトを植え、ちくわを食いて、洗濯に専念するも、これ天職、われとわがはらわたを破り、わが袖、炎々の焔あげつつあるも、われは嵐にさからって、王者、肩そびやかしてすすまなければならぬ、さだめを負うて生れた。大礼服着たる衣紋（えもん）竹（だけ）、すでに枯木、刺さば、あ、と一声の叫びも無く、そのままに、かさと倒れ、失せむ。空なる花。ゆるせよ、私はすすまなければいけないのだ。母の胸ひからびて、われを抱き入れることなし。上へ、上へ、と逃れゆくこそ、われのさだめ。断絶、この苦、君にはわからぬ。投げ捨てよ、私を。とわに遠のけ！「テニスコートがあって、看護婦さんとあそんで、ゆっくり御静養できますわよ。」と悪婆の囁き。われは、君のそのいたわりの胸を、ありがたく思っていました。見よ、あくる日、運動場に出ずれば、蒼（あお）き鬼、黒い熊、さながら地獄、ここは、かの、どんぞこの、脳病院に非ずや。我もまた、一囚人、「ひとり！」と鍵の束（たば）持てるポマアドの悪臭たかき一看守に背押されて、昨夜あこがれ見しテニスコートに降り立ちぬ。

銅貨のふくしゅう。……の暗躍。ただ、ただ、レッド・テエプにすぎざる責任、規約の槍玉にあげられた鼻のまるいキリスト。「温度表を見て下さい。二十日以降、注射一本、求めていません。私にも、責任の一半（いっぱん）を持たせて下さい。注射しなければあいいんでしょう？」「いいえ、保証人から全快までは、と厳格にたのまれてあります。」ただ、飼い放ち在るだけでは、金魚も月余（げつよ）の命、保たず。いつわりでよし、プライドを、自由を、青草原を！

尚、ここに名を録すにも価せぬ……のその閨に於ける鼻たかだかの手柄話に就いては、私、一笑し去りて、余は、われより年若き、骨たくましきものに、世界歴史はじまりて、このかた、一筋に高く潔く直く燃えつぎたるこの光栄の炬火を手渡す。心すべきは、きみ、ロヴェスピエルが瞳のみ。

二十四日。　なし。

二十五日。

「金魚も、ただ飼い放ち在るだけでは、月余の命、保たず。」（その一。）

われより若きものへ自信つけさせたく、走り書。断片の語なれども、私は、狂っていません。

社会制裁の目茶目茶は医師のはんらんと、小市民の医師の良心に対する盲目的信仰より起った。たしかに重大の一因である。ヴェルレエヌ氏の施療病院に於ける最後の詩句、「医者をのしる歌。」を読み、思わず哄笑した五年まえのおのれを恥じる。厳粛の意味で、医師の瞳の奥をさぐれ！

私営脳病院のトリック。

一、この病棟、患者十五名ほどの中、三分の二は、ふつうの人格者だ。他人の財をかすめる者、又、かすめむとする者、ひとりもなかった。人を信じすぎて、ぶちこまれた。
一、医師は、決して退院の日を教えぬ。確言せぬのだ。底知れず、言を左右にする。
一、新入院の者ある時には、必ず、二階の見はらしよき一室に寝かせ、電球もあかるきものとつけかえ、そうして、附き添って来た家族の者を、やや、安心させて、あくる日、院長、二階は未だ許可とってないから、と下の陰気な十五名ほどの患者と同じの病棟へ投じる。
一、ちくおんき慰安。私は、はじめの日、腹から感謝して泣いてしまった。新入の患者あるごとに、ちくおんき、高田浩吉、はじめる如し。
一、事務所のほうからは、決して保証人へ来いと電話せぬ。むこうのきびしく、さいそくせぬうちは、永遠に黙している。たいてい、二年、三年放し飼い。みんな、出ること許り考えている。
一、外部との通信、全部没収。
一、見舞い絶対に謝絶、若しくは時間定めて看守立ち合い。
一、その他、たくさんある。思い出し次第、書きつづける。忘れねばこそ、思い出さずそろ、か。（この日、退院の約束、断腸のこともあり、自動車の音、三十も、四十も、はては、飛行機の爆音、牛車、自転車のきしりにさえ胸やぶれる思い。）

「出してくれ！」「やかまし！」どしんのもの音ありて、秋の日あえなく暮れむとす。

二十六日。

「金魚も、ただ飼い放ち在るだけでは、月余の命、保たず。」（その二。）

昨日、約束の迎え来らず。ありがとう。けさ、おもむろに鉛筆執った。愛している、という。けれども、小市民四十歳の者は、われらを愛する術を知っていない。愛し得ぬのだ。金魚へ「ふ」だ。愛していないと、言い切り得る。

夫を失いし或る妻の呟き、「夜のつらさは、ごまかせるけれども、夜あけが――。」あかつきばかり憂きものはなし、とは眠いうらみを述べているのではない。くらきうち眼さえて、かならず断腸のこと、正確に在り。大西郷は、眼さむるとともに、ふとん蹴ってはね起きてしまったという。菊池寛は、午前三時でも、四時でも、やはり、はね起き、而して必ず早すぎる朝食を喫するという。すべて、みな、この憂さに沈むことの害毒を人一倍知れる心弱くやさしき者の自衛手段と解して大過なかるべし。われ、事に於いて後悔せず、との菊池氏の金看板の楯の弱さにも、ふと気づいて、地上の王者へ、無言で一杯のミルクささげてやって呉れる決意ついたら、それが、また、君のからだの一歩前進なること疑う勿(なか)れ。

営利目的の病院ゆえ、あらゆる手段にて患者の退院はばむが、これ、院主、院長、医師、看護婦、看守のはてまで、おのおの天職なりと、きびしく固く信じている様子である。悪の数々、目おおえども、耳ふさげども、壁のすきま、鉄格子の窓、四方八方よりひそひそ忍びいる様、春の風の如く、むしろ快し。院主（出資者）の訓辞、かの説教強盗のそれより、少し声やさしく、温顔(おんがん)なるのみ。内容、もとより、底知れぬトリックの沼。しかも直接に、人のいのちを奪うトリック。病院では、死骸など、飼い犬死にたるよりも、さわがず、思わず、噂せず。壁塗り左官のかけ梯子(はしご)より落ちしものの左腕の肉、煮て食いし話、一看守の語るところ、信ずべきふし在り。再び、かの、ひらひらの金魚を思う。

「人権」なる言葉を思い出す。ここの患者すべて、人の資格はがれ落されている。

われら生き伸びてゆくには、二つの途(みち)のみ。脱走、足袋(たび)はだしのまま、雨中、追われつつ、一汁一菜、半畳の居室与えられ、犬馬の労、誓言して、巷(ちまた)の塵の底に沈むか、若しくは、とても金魚として短きいのち終らむと、ごろり寝ころび、いとせめて、油多き「ふ」を食い、鱗(うろこ)の輝き増したるを紙より薄き人の口の端にのぼせられて、ぺちゃぺちゃほめられ、数分後は、けろりと忘れられ、笑われ、冷き血のまま往生とげむか。あとは、自らくびれて、甲斐なき命絶ち、四、五日、人の心の片端、ひやとさせるもよからむ。すべて皆、人のための手本。われの享楽のための一夜もなかった。

私は、享楽のために売春婦かったこと一夜もなし。母を求めに行ったのだ。乳房を求めに行ったのだ。葡萄の一かご、書籍、絵画、その他のお土産もっていっても、たいてい私は軽んぜられた。わが一夜の行為、うたがわしくば、君、みずから行きて問え。私は、住所も名前も、いつわりしことなし。恥ずべきこととも思わねば。

私は享楽のために、一本の注射打ちたることなし。心身ともにへたばって、なお、家の鞭の音を背後に聞き、ふるいたちて、強精ざい、すなわち用いて、愚妻よ、われ、どのような苦労の仕事し了せたか、おまえにはわからなかった。食わぬ、しし、食ったふりして、しし食ったむくいを受ける。

その人と、面とむかって言えないことは、かげでも言うな。私は、この律法を守って、脳病院にぶちこまれた。求めもせぬに、私に、とめどなき告白したる十数人の男女、三つき経ちて、必ず私を悪しざまに、それも陰口、言いちらした。いままでお世辞たらたら、厠に立ちし後姿見えずなるやいな、ちえっ！　と悪魔の嘲笑。私は、この鬼を、殴り殺した。

私の辞書に軽視の文字なかった。

作品のかげの、私の固き戒律、知るや君。否、その激しさの、高さの、ほどを！

私は、私の作品の中の人物に、なり切ったほうがむしろ、よかった。ぐうたらの漁色家。

私は、「おめん！」のかけごえのみ盛大の、里見、島崎などの姓名によりて代表せられる老作家たちの剣術先生的硬直を避けた。キリストの卑屈を得たく修業した。

聖書一巻によりて、日本の文学史は、かつてなき程の鮮明さをもて、はっきりと二分されている。マタイ伝二十八章、読み終えるのに、三年かかった。マルコ、ルカ、ヨハネ、ああ、ヨハネ伝の翼を得るは、いつの日か。

「苦しくとも、少し我慢なさい。悪いようには、しないから。」四十歳の人の言葉。母よ、兄よ。私たちこそ、私たちのあがきこそ、まこと、いつわらざる「我慢下さい。悪いようにはしないから。」の切々、無言の愛情より発していること、知らなければいけない。一時の恥を、しのんで下さい。十度の恥を、しのんで下さい。もう、三年のいのち、保っていて下さい。われらこそ、光の子に、なり得る、しかも、すべて、あなたへの愛のため。

その時には、知るであろう。まことの愛の素晴らしさを、私たちの胸ひろくして、母を、兄を、抱き容れて、眠り溶けさせることができるのだという事実を。その時には、われらにそっと囁け、「私たちは、愛さなかった。」

「まあいいよ。人の心配なぞせずと、ご自分の袖のほころびでも縫いなさい。」それでは、立ちあがって言おうじゃないか。「人たれか、われ先に行くと、たとい、一分なりとも、その自矜うちくだかれて、なんの、維持ぞや、なんの、設計ぞや、なんの建設ぞや。」さらに、笑ったならば、その馬づらを、殴れ！

あなた知っている？　教授とは、どれほど勉強、研究しているものか。学者のガウンをはげ。大本教主の頭髪剃り落した姿よりも、さらに一層、みるみる矮小化せむこと必せり、

学問の過尊をやめよ。試験を全廃せよ。あそべ。寝ころべ。われら巨万の富貴をのぞまず。立て札なき、たった十坪の青草原を！

性愛を恥じるな！　公園の噴水の傍のベンチに於ける、人の眼恥じざる清潔の抱擁と、老教授R氏の閉め切りし閨の中と、その汚濁、果していずれぞや。

「男の人が欲しい！」「女の友が欲しい！」君、恥じるがいい、ただちに、かの聯想のみ思い浮べる油肥りの生活を！　眼を、むいて、よく見よ、性のつぎなる愛の一字を！

求めよ、求めよ、切に求めよ、口に叫んで、求めよ。沈黙は金という言葉あり、桃李言わざれども、の言葉もあった、けれども、これらはわれらの時代を一層、貧困に落した。（As you see.）告げざれば、うれい、全く無きに似たり、とか、きみ、こぶしを血にして、たたけ、五百度たたきて門の内こたえなければ、千度たたかむ、千度たたきて門、ひらかざれば、すなわ

ち、門をよじのぼらむ、足すべらせて落ちて、死なば、われら、きみの名を千人の者に、まことに不変の敬愛もちて千語ずつ語らむ。きみの花顔、世界の巷ちまた、露路の奥々、あつき涙とともに、撒き散らさむ。死ね！　われら、いま、微細といえども、君ひとり死なせたる世の悪への痛憤、子々孫々ひまあるごとに語り聞かせ、君の肖像、かならず、子らの机上に飾らせ、その子、その孫、約して語りつがせむ。ああ、この世くらくして、君に約するに、世界を覆う厳粛華麗の百年祭の固き自明の贈物のその他を以てする能わざることを、数十万の若き世代の花うばわれたる男女と共に、深く恥じいる。

二十七日。

「金魚も、ただ飼い放ち在るだけでは、月余の命、保たず。」（その三。）

人、口々に言う。「リアル」と。問わむ、「何を以てか、リアルとなす。蓮の開花に際し、ぽんと音するか、せぬか、大問題、これ、リアルなりや。」「否。」「ナポレオンもまた、風邪をひき、乃木将軍もまた、閨を好み、クレオパトラもまた、脱糞せりとの事実、これこそは君等のいうリアルならむ。」笑って答えず。「更に問わむ、太宰もまた泣いて原稿を買って下さい、とたのみ、チエホフも扉の敷居すりへって了うまで、売り込みの足をはこんだ、ゴリキイはレニンに全く牛耳られて易々諾々のふうがあった、プルウストのかの出版屋への三拝九拝の手紙、これをこそ、きみ、リアルというか。」用心のニヤニヤ笑いつづけながらも、少し首肯く。「愚なる者よ。きみ、人その全部の努力用いて、わが妻子わすれむと、あがき苦しみつつ、一度持たせられし旗の捨てがたくして、沐雨櫛風、ただ、ただ上へ、上へとすすまなければならぬ、肉体すでに半死の旗手の耳へ、妻を思い出せよ、きみ、私め、かわってもよろしゅうございますが、その馬の腹帯は破れていますよと、かの宇治川、佐々木のでんをねらっていることに、気づくがよい。名への恋着に非ず、さだめへの忠実、確定の義務だ。川の底から這いあがり、目さえおぼろ、必死に門へかじりつき、また、よじ登り、すこし花咲きかけたる人のいのちを、よせ、よせ、芝居は、と鼻で笑って、足ひっつかんで、むざん、どぶどろの底、ひきずり落すのが、これが、リアルか。」かれ少し坐り直して、「リアルとは、君の様に、針ほどのものを、棒、いや、門柱くらいに叫び騒がずして、針は、針、と正確に指さし示す事なり。」「愚かや、君は、かの認識の法を、研究したにちがいない。また、かの、弁証法をも、学びたるなるべし。われ、かのレクチュアをなす所存なければど、いまの若き世代、いまだにリアル、リアル、と穴てんてんの青き表現の羅紗かぶせたる机にしがみつき、すがりつき、にかわづけされて在る状態の、『不正。』に気づくべき筈なのに、帰りて、まず、唯物論的弁証法入門、アンダラインのみを拾いながらでもよし、まず、十頁、読み直せ。お話は、それから、再びし直そう。」かく言いて、その日は、わかれた。

リアルの最後のたのみの綱は、記録と、統計と、しかも、科学的なる臨床的、解剖学的、それ等である。けれども、いま、記録も統計も、すでに官僚的なる一技術に成り失せ、科学、医学は、すでに婦人雑誌ふうの常識に堕し、小市民は、何々開業医のえらさを知っても、野口英世の苦労を知らぬ。いわんや、解剖学の不確実など、寝耳に水であろう。天然なる厳粛の現実の認識は、二・二六事件の前夜にて終局、いまは、認識のいわば再認識、表現の時期である。叫びの朝である。開花の、その一瞬まえである。

真理と表現。この両頭食い合いの相互関係、君は、たしかに学んだ筈だ。相剋やめよ。いまこそ、アウフヘエベンの朝である。信ぜよ、花ひらく時には、たしかに明朗の音を発する。これを仮りに名づけて、われら、「ロマン派の勝利。」という。誇れよ！　わがリアリスト、これこそは、君が忍苦三十年の生んだ子、玉の子、光の子である。

この子の瞳の青さを笑うな。羞恥深き、いまだ膚やわらかき赤子なれば。獅子を真似びて三日目の朝、崖の下に蹴落すもよし。崖の下の、蒲団わするな。勘当と言って投げ出す銀煙管。

「は、は。この子は、なかなか、おしゃまだね。」

知識人のプライドをいたわれ！　生き、死に、すべて、プライドの故、と断じ去りて、よし。職工を見よ、農家の夕食の様を覗け！　着々、陽気を取り戻した。ひとり、くらきは、一万円費って大学を出た、きみら、痩せたる知識人のみ！

くたびれたら寝ころべ！

悲しかったら、うどんかけ一杯と試合はじめよ。

私は君を一度あざむきしに、君は、私を千度あざむいていた。私は、「嘘吐き」と呼ばれ、君は、「苦労人。」と呼ばれた。「うんとひどい嘘、たくさん吐くほど、嘘つきでなくなるらしいのね？」

十二、三歳の少女の話を、まじめに聞ける人、ひとりまえの男というべし。

その余は、おのれの欲するがままにまに行え。

二十八日。

「現代の英雄について。」

ヴェルレエヌ的なるものと、ランボオ的なるもの。

スウィートピイは、蘇鉄（そてつ）の真似をしたがる。鉄のサラリイマンを思う。片方は糸で修繕（しゅうぜん）した鉄ぶちの眼がねをかけ、スナップ三つあまくなった革のカバンを膝（ひざ）に乗せ、電車で、多少の猫背つかって、二日すらない顎（あご）の下のひげを手さぐり雨の巷（ちまた）を、ぼんやり見ている。なぐられて、やかれて、いまはくろがねの冷酷を内にひそめて、（断）

二十九日。

十字架のキリスト、天を仰いでいなかった。たしかに。地に満つ人の子のむれを、うらめしそうに、見おろしていた。

三十日。

手の札、からりと投げ捨てて、笑えよ。

雨の降る日は、天気が悪い。


三十一日。

（壁に。）ナポレオンの欲していたものは、全世界ではなかった。タンポポ一輪の信頼を欲していただけであった。

（壁に。）金魚も、ただ飼い放ち在るだけでは、月余の命、保たず。

（壁に。）われより後に来るもの、わが死を、最大限に利用して下さい。


一日。

実朝（さねとも）をわすれず。

伊豆の海の白く立ち立つ浪がしら。

塩の花ちる。

うごくすすき。

蜜柑畑。

二日。

誰も来ない。たより寄こせよ。

疑心暗鬼。身も骨も、けずられ、むしられる思いでございます。

チサの葉いちまいの手土産で、いいのに。

三日。

不言実行とは、暴力のことだ。手綱のことだ。鞭のことだ。

いい薬になりました。

四日。

「梨花一枝。」

改造十一月号所載、佐藤春夫作「芥川賞」を読み、だらしない作品と存じました。それ故に、また、類なく立派であると思った。真の愛情は、めくらの姿である。狂乱であり、憤怒である。更に、（断）

寝間の窓から、羅馬の燃上を凝視して、ネロは、黙した。一切の表情の放棄である。美妓の巧笑に接して、だまっていた。緑酒を捧持されて、ぼんやりしていた。かのアルプス山頂、旗焼くけむりの陰なる大敗将の沈黙を思うよ。

一嚙の歯には、一嚙の歯を。一杯のミルクには、一杯のミルク。（誰のせいでもない。）

「なんじを訴うる者とともに途に在るうちに、早く和解せよ。恐くは、訴うる者なんじを審判人にわたし、審判人は下役にわたし、遂になんじは獄に入れられん。誠に、なんじに告ぐ、一厘も残りなく償わずば、其処をいずること能わじ。」（マタイ五の二十五、六。）

晩秋騒夜、われ完璧の敗北を自覚した。

一銭を笑い、一銭に殴られたにすぎぬ。

私の瞳は、汚れてなかった。

享楽のための注射、一本、求めなかった。おめん！　の声のみ盛大の二、三の剣術先生を避けたにすぎぬ。「水の火よりも勁(つよ)きを知れ。キリストの嫋々(じょうじょう)の威厳をこそ学べ。」

他は、なし。

天機は、もらすべからず。

（四日、亡父命日。）

五日。

逢うことの、いま、いつとせ、早かりせば、など。

六日。

「人の世のくらし。」

女学校かな？　テニスコート。ポプラ。夕陽。サンタ・マリヤ。（ハアモニカ。）

「つかれた？」

「ああ。」

これが人の世のくらし。まちがいなし。


七日。

言わんか、「死屍(しし)に鞭打つ。」言わんか、「窮鳥(きゅうちょう)を圧殺す。」


八日。

かりそめの、人のなさけの身にしみて、まなこ、うるむも、老いのはじめや。


九日。

窓外、庭の黒土をばさばさ這いずりまわっている醜き秋の蝶(ちょう)を見る。並はずれて、たくましきが故に、死なず在りぬる。はかなき態には非ず。


十日。

私が悪いのです。私こそ、すみません、を言えぬ男。私のアクが、そのまま素直に私へ又はねかえって来ただけのことです。

よき師よ。

よき兄よ。

よき友よ。

よき兄嫁よ。

姉よ。

妻よ。

医師よ。


亡父も照覧。

「うちへかえりたいのです。」

柿一本の、生れ在所（ざいしょ）や、さだ九郎。

笑われて、笑われて、つよくなる。

十一日。

無才、醜貌（しゅうぼう）の確然たる自覚こそ、むっと図太い男を創る。たまもの也。（家兄ひとり、面会、対談一時間。）

十二日。

試案下書。

一、昭和十一年十月十三日より、ひとつき間、東京市板橋区M脳病院に在院。パヴィナアル中毒全治。以後は、

一、十一年十一月より十二年（二十九歳）六月末までサナトリアム生活。（病院撰定は、S先生、K様、一任。）

一、十二年七月より十三年（三十歳）十月末まで、東京より四、五時間以上かかって行き得る

(来客すくなかるべき)保養地に、二十円内外の家借りて静養。(K氏、ちくらの別荘貸して下さる由、借りて住みたく思いましたが、けれども、この場所撰定も、皆様一任。)

右の如く満一箇年、きびしき摂生、左肺全快、大丈夫と、しんから自信つきしのち、東京近郊に定住。(やはり創作。厳酷の精進。)

なお、静養中の仕事は、読書と、原稿一日せいぜい二枚、限度。

一、「朝の歌留多(かるた)。」

(昭和いろは歌留多。「日本イソップ集」の様な小説。)

一、「猶太(ゆだ)の王。」

(キリスト伝。)

右の二作、プランまとまっていますから、ゆっくり書いてゆくつもりです。他の雑文は、たいてい断るつもりです。

その他、来春、長編小説三部曲、「虚構の彷徨。」S氏の序文、I氏の装幀にて、出版。(試案は、所詮、笹の葉の霜。)

この日、午後一時半、退院。

汝(なんじ)らの仇を愛し、汝らを責むる者のために祈れ。天にいます汝らの父の子とならん為なり。天の父はその陽を悪しき者のうえにも、善き者のうえにも昇らせ、雨を正しき者にも、正しからぬ者にも降らせ給うなり。なんじら己を愛する者を愛すとも何の報をか得べき、取税人も然(しか)するにあらずや。兄弟にのみ挨拶すとも何の勝ることかある、異邦人も然するにあらずや。然らば汝らの天の父の全(まった)きが如く、汝らもまた、全かれ。

# 黄金風景

海の岸辺に緑なす樫の木、その樫の木に黄金の
細き鎖のむすばれて　　――プウシキン――

私は子供のときには、余り質のいい方ではなかった。女中をいじめた。私は、のろくさいことは嫌いで、それゆえ、のろくさい女中を殊にもいじめた。お慶は、のろくさい女中である。林檎の皮をむかせても、むきながら何を考えているのか、二度も三度も手を休めて、おい、とその度毎にきびしく声を掛けてやらないと、片手に林檎、片手にナイフを持ったまま、いつまでも、ぼんやりしているのだ。足りないのではないか、と思われた。台所で、何もせずに、ただのっそりつっ立っている姿を、私はよく見かけたものであるが、子供心にも、うすみっともなく、妙に疳にさわって、おい、お慶、日は短いのだぞ、などと大人びた、いま思っても背筋の寒くなるような非道の言葉を投げつけて、それで足りずに一度はお慶をよびつけ、私の絵本の観兵式の何百人となくうようよしている兵隊、馬に乗っている者もあり、旗持っている者も

あり、銃担っている者もあり、そのひとりひとりの兵隊の形を鋏でもって切り抜かせ、無器用なお慶は、朝から昼飯も食わず日暮頃までかかって、やっと三十人くらい、それも大将の鬚を片方切り落したり、銃持つ兵隊の手を、熊の手みたいに恐ろしく大きく切り抜いたり、そうしていちいち私に怒鳴られ、夏のころであった、お慶は汗かきなので、切り抜かれた兵隊たちはみんな、お慶の手の汗で、びしょびしょ濡れて、私は遂に癇癪をおこし、お慶を蹴った。たしかに肩を蹴った筈なのに、お慶は右の頬をおさえ、がばと泣き伏し、泣き泣きいった。「親にさえ顔を踏まれたことはない。一生おぼえております。」うめくような口調で、とぎれ、とぎれそういったので、私は、流石にいやな気がした。そのほかにも、私はほとんどそれが天命でもあるかのように、お慶をいびった。いまでも、多少はそうであるが、私には無智な魯鈍の者は、とても堪忍できぬのだ。

　一昨年、私は家を追われ、一夜のうちに窮迫し、巷をさまよい、諸所に泣きつき、その日その日のいのち繋ぎ、やや文筆でもって、自活できるあてがつきはじめたと思ったとたん、病を得た。ひとびとの情で一夏、千葉県船橋町、泥の海のすぐ近くに小さい家を借り、自炊の保養をすることができ、毎夜毎夜、寝巻をしぼる程の寝汗とたたかい、それでも仕事はしなければならず、毎朝毎朝のつめたい一合の牛乳だけが、ただそれだけが、奇妙に生きているよろこびとして感じられ、庭の隅の夾竹桃の花が咲いたのを、めらめら火が燃えているようにしか感じられなかったほど、私の頭もほとほと痛み疲れていた。

　そのころのこと、戸籍調べの四十に近い、痩せて小柄のお巡りが玄関で、帳簿の私の名前と、それから無精髯のばし放題の私の顔とを、つくづく見比べ、おや、あなたは……のお坊ちゃんじゃございませんか？　そう言うお巡りのことばには、強い故郷の訛があったので、

「そうです。」私はふてぶてしく答えた。「あなたは？」

　お巡りは痩せた顔にくるしいばかりにいっぱいの笑をたたえて、

「やあ。やはりそうでしたか。お忘れかも知れないけれど、かれこれ二十年ちかくまえ、私はKで馬車やをしていました。」

　Kとは、私の生れた村の名前である。

「ごらんの通り、」私は、にこりともせずに応じた。「私も、いまは落ちぶれました。」

「とんでもない。」お巡りは、なおも楽しげに笑いながら、「小説をお書きなさるんだったら、それはなかなか出世です。」

　私は苦笑した。

「ところで、」とお巡りは少し声をひくめ、「お慶がいつもあなたのお噂をしています。」

「おけい？」すぐには呑みこめなかった。

「お慶ですよ。お忘れでしょう。お宅の女中をしていた――」

思い出した。ああ、と思わずうめいて、私は玄関の式台にしゃがんだまま、頭をたれて、その二十年まえ、のろくさかったひとりの女中に対しての私の悪行が、ひとつひとつ、はっきり思い出され、ほとんど座に耐えかねた。

「幸福ですか？」ふと顔をあげてそんな突拍子（とっぴょうし）ない質問を発する私のかおは、たしかに罪人、被告、卑屈な笑いをさえ浮べていたと記憶する。

「ええ、もう、どうやら。」くったくなく、そうほがらかに答えて、お巡りはハンケチで額（ひたい）の汗をぬぐって、「かまいませんでしょうか。こんどあれを連れて、いちどゆっくりお礼にあがりましょう。」

　私は飛び上るほど、ぎょっとした。いいえ、もう、それには、とはげしく拒否して、私は言い知れぬ屈辱感に身悶（みもだ）えしていた。

　けれども、お巡りは、朗（ほがら）かだった。

「子供がねえ、あなた、ここの駅につとめるようになりましてな、それが長男です。それから男、女、女、その末のが八つでことし小学校にあがりました。もう一安心。お慶も苦労いたしました。なんというか、まあ、お宅のような大家にあがって行儀見習いした者は、やはりどこか、ちがいましてな。」すこし顔を赤くして笑い、「おかげさまでした。お慶も、あなたのお噂、しじゅうして居ります。こんどの公休には、きっと一緒にお礼にあがります。」急に真面目な顔になって、「それじゃ、きょうは失礼いたします。お大事に。」

　それから、三日たって、私が仕事のことよりも、金銭のことで思い悩み、うちにじっとして居れなくて、竹のステッキ持って、海へ出ようと、玄関の戸をがらがらあけたら、外に三人、浴衣(ゆかた)着た父と母と、赤い洋服着た女の子と、絵のように美しく並んで立っていた。お慶の家族である。

　私は自分でも意外なほどの、おそろしく大きな怒声を発した。

「来たのですか。きょう、私これから用事があって出かけなければなりません。お気の毒ですが、またの日においで下さい。」

　お慶は、品のいい中年の奥さんになっていた。八つの子は、女中のころのお慶によく似た顔をしていて、うすのろらしい濁った眼でぼんやり私を見上げていた。私はかなしく、お慶がまだひとことも言い出さぬうち、逃げるように、海浜へ飛び出した。竹のステッキで、海浜の雑草を薙(な)ぎ払い薙ぎ払い、いちどもあとを振りかえらず、一歩、一歩、地団駄(じだんだ)踏むような荒(すさ)んだ歩きかたで、とにかく海岸伝いに町の方へ、まっすぐに歩いた。私は町で何をしていたろう。ただ意味もなく、活動小屋の絵看板見あげたり、呉服屋の飾窓を見つめたり、ちえっちえっと舌打ちしては、心のどこかの隅で、負けた、負けた、と囁(ささや)く声が聞えて、これはならぬと烈(はげ)しくからだをゆすぶっては、また歩き、三十分ほどそうしていたろうか、私はふたたび私の家へとって返した。

うみぎしに出て、私は立止った。見よ、前方に平和の図がある。お慶親子三人、のどかに海に石の投げっこしては笑い興じている。声がここまで聞えて来る。

「なかなか、」お巡りは、うんと力こめて石をほうって、「頭のよさそうな方じゃないか。あのひとは、いまに偉くなるぞ。」

「そうですとも、そうですとも。」お慶の誇らしげな高い声である。「あのかたは、お小さいときからひとり変って居られた。目下（めした）のものにもそれは親切に、目をかけて下すった。」

私は立ったまま泣いていた。けわしい興奮が、涙で、まるで気持よく溶け去ってしまうのだ。

負けた。これは、いいことだ。そうなければ、いけないのだ。かれらの勝利は、また私のあすの出発にも、光を与える。

# 懶惰の歌留多

私の数ある悪徳の中で、最も顕著の悪徳は、怠惰である。これは、もう、疑いをいれない。よほどのものである。こと、怠惰に関してだけは、私は、ほんものである。まさか、それを自慢しているわけではない。ほとほと、自分でも呆れている。私の、これは、最大欠陥である。たしかに、恥ずべき、欠陥である。

怠惰ほど、いろいろ言い抜けのできる悪徳も、少い。臥竜。おれは、考えることをしている。ひるあんどん。面壁九年。さらに想を練り、案を構え。雌伏。賢者のまさに動かんとするや、必ず愚色あり。熟慮。潔癖。凝り性。おれの苦しさ、わからんかね。仙脱。無慾。世が世なら、なあ。沈黙は金。塵事うるさく。隅の親石。機未だ熟さず。出る杭うたれる。寝ていて転ぶうれいなし。無縫天衣。桃李言わざれども。絶望。豚に真珠。一朝、事あらば。ことあげせぬ国。ばかばかしくって。大器晩成。自矜、自愛。のこりものには、福が来る。なんぞ彼等の思い無げなる。死後の名声。つまり、高級なんだね。千両役者だからね。晴耕雨読。三度固辞して動かず。鷗(かもめ)は、あれは啞(おし)の鳥です。天を相手にせよ。ジッドは、お金持なんだろう？　すべて、のらくら者の言い抜けである。私は、実際、恥かしい。苦しさも、へったくれもない。なぜ、書かないのか。実は、少しからだの工合いおかしいのでして、などと、せっぱつまって、伏目がちに、あわれっぽく告白したりなどするのだが、一日にバット五十本以上も吸い尽くして、酒、のむとなると一升くらい平気でやって、そのあとお茶漬を、三杯もかきこんで、そんな病人あるものか。

要するに、怠惰なのである。いつまでも、こんな工合いでは、私は、とうてい見込みのない人間である。そう、きめて了(しま)うのは、私も、つらいのであるが、もうこれ以上、私たち、自身を甘やかしてはいけない。

苦しさだの、高邁(こうまい)だの、純潔だの、素直だの、もうそんなこと聞きたくない。書け。落語(らくご)でも、一口噺(ひとくちばなし)でもいい。書かないのは、例外なく怠惰である。おろかな、おろかな、盲信である。人は、自分以上の仕事もできないし、自分以下の仕事もできない。働かないものには、権利がない。人間失格、あたりまえのことである。

そう思って、しかめつらをして机のまえに坐るのであるが、さて、何もしない。頰杖ついて、ぼんやりしている。別段、深遠のことがらを考えているわけではない。なまけ者の空想ほど、ばかばかしく途方もないものはない。悪事千里、というが、なまけ者の空想もまた、ちょろちょろ止めどなく流れ、走る。何を考えているのか。この男は、いま、旅行に就いて考えている。汽車の旅行は退屈だ。飛行機がいい。動揺がひどいだろう。飛行機の中で煙草を吸えるかしら。ゴルフパンツはいて、葡萄たべながら飛行機に乗っていると、恰好がいいだろうな。葡萄は、あれは、種を出すものなのかしら、種のまま呑みこむものなのかしら。葡萄の正しい食べかたを知りたい。などと、考えていること、まるで、おそろしく、とりとめがない。あわてて、がらっと机の引き出しをあけ、くしゃくしゃ引き出しの中を掻きまわして、おもむろに、一箇の耳かきを取り出し、大げさに顔をしかめ、耳の掃除をはじめる。その竹の耳かきの一端には、ふさふさした兎の白い毛が附いていて、男は、その毛で自分の耳の中をくすぐり、目を細める。耳の掃除が終る。なんということもない。それから、また、机の引き出しを、くしゃくしゃかきまわす。感冒除けの黒いマスクを見つけた。そいつを、素早く、さっと顔にかけて、屹っと眉毛を挙げ、眼をぎょろっと光らせて、左右を見まわす。なんということもない。マスクをはずして、引き出しに収め、ぴたと引き出しをしめる。また、頬杖。とうもろこしは、あれは下品な食べものだ。あれの、正式の食べかたは、どういうのかしら。一本のとうもろこしに、食いついている姿は、ハアモニカを懸命に吹き鳴らしているようである。などと、ばかなことを、ふと考える。どんなにひどいニヒルにでも、最後まで附きまとうものは、食べものであるらしい。しかもこの男は、味覚を知らない。味よりも、方法が問題であるらしい。めんどうくさい食べものには、見向きもしない。さんまなぞ、食べてみれば、あれは、おいしいものかも知れないが、この男は、それをきらう。とげがあるからである。いったいに魚肉をきらう様である。味覚の故ではなくして、とげを抜くのが面倒くさいのである。たいへん高価なものだそうであるが、鮎の塩焼など、一向に喜ばない。申しわけみたいに、ちょっと箸でつついてみたりなどして、それっきり、振りむきもしない。玉子焼を好む。とげがないからである。豆腐を好む。やはり、食べるのに、なんの手数もいらないからである。飲みものを好む。牛乳。スウプ。葛湯。うまいも、まずいもない。ただ、摂取するのに面倒がないからである。そう言えば、この男は、どうやら、暑い、寒いを知らないようである。夏、どんなに暑くても、団扇の類を用いない。めんどうくさいからである。ひとから、きょうはずいぶんお暑うございますね、と言われて団扇をさし出され、ああそうか、きょうは暑いのか、とはじめて気が附き、大いにあわてて団扇を取りあげ、涼しげの顔してばさばさやってみるのであるが、すぐに厭きて来て手を休め、ぼんやり膝の上で、その団扇をいじくりまわしているような仕末である。寒さも、知らないのではなかろうか。誰かほかのひとでも火鉢に炭をついで呉れないことには、一日、火のない火鉢を抱いて、じっとしている。動くものではない。ひとから、注意されないうちは、晩秋、初冬、厳寒、平気な顔して夏の白いシャツを黙って着ている。

私は、腕をのばし、机のわきの本棚から、或る日本の作家の、短篇集を取出し、口を、への字型に結んだ。何か、顕微鏡的な研究でもはじめるように、ものものしく気取って、一頁、一頁、ゆっくりペエジを繰っていった。この作家は、いまは巨匠といわれている。変な文章ではあるが、読み易いので、私は、このような心のうつろな時には、取り出して読んでみるのである。好きなのであろう。もっともらしい顔して読んでいって、突然、げらげら笑い出した。この男の笑い声には、特色が在る。馬の笑いに似ている。私は、呆れたのである。その作家自身ともおぼしき主人公が、ふんべつ顔して風呂敷持って、湖畔の別荘から、まちへ夕食のおかずを買いに出かけるところが書かれていたのであるが、いかにもその主人公のさまが、いそいそしていて、私には情なく、笑ってしまった。いい年をして、立派な男が、女房に言いつけられて、風呂敷持って、いそいそ町へ、ねぎ買いに出かけるとは、これは、あまりにひどすぎる。怠け者にちがいない。こんな生活は、いかん。なんにもしないで、うろうろして、女房も見かねて、夕食の買い物をたのむ。よくあることだ。たのまれて、うん、ねぎを五銭だね、と首肯し、ばかなやつ、帯をしめ直して、何か自分がいささかでも役に立つことがうれしく、いそいそ、風呂敷もって、買い物に出かける。情ない、情ない。眉ふとく、鬚の剃り跡青き立派な男じゃないか。私は、多少狼狽して、その本を閉じ、そっと本棚へ返して、それからまた、なんということもない。頬杖ついて、うっそりしている。怠けものは、陸の動物にたとえれば、まず、歳とった病犬であろう。なりもふりもかまわず、四足をなげ出し、うす赤い腹をひくひく動かしながら、日向に一日じっとしている。ひとがその傍を通っても、吠えるどころか、薄目をあけて、うっとり見送り、また眼をつぶる。みっともないものである。きたならしい。海の動物にたとえれば、なまこであろうか。なまこは、たまらない。いやらしい。ひとで、であろうか。べっとり岩にへばりついて、ときどき、そろっと指を動かして、そうして、ひとでは何も考えていない。ああ、たまらない、たまらない。私は猛然と立ち上る。

おどろくことは無い。御不浄へ行って来たのである。期待に添わざること、おびただしい。立ったまま、ちょっと思案し、それから、のそのそ隣りの部屋へはいっていって、

「おい、何か用がないかね?」

隣室では、家の者が、縫いものをしている。

「はい、ございます。」顔もあげずに、そう答えて、「この鏝を焼いて置いて下さい。」

「あ、そうか。」

鏝を受けとり、大きな男が、また机のまえに坐って、かたわらの火鉢の灰の中に、ぐいとその鏝をさし込むのである。

さし込んで、何か大役をしすました者の如く、落ちつきはらって、煙草を吸っている。これでは、何も、かの、風呂敷持って、ねぎ買いに行く姿と、異るところがない。もっと悪い。

つくづく呆れ、憎み、自分自身を殺したくさえなって、ええッ！　と、やけくそになって書き出した、文字が、なんと、

懶惰の歌留多。

ぽつり、ぽつり、考え、考えしながら書いてゆく所存と見える。

い、生くることにも心せき、感ずることも急がるる。

ヴィナスは海の泡から生れて、西風に導かれ、波のまにまに、サイプラスの島の浦曲に漂着した。四肢は気品よく細長く、しっとりと重くて、乳白色の皮膚のところどころ、すなわち耳朶、すなわち頰、すなわち掌の裡、一様に薄い薔薇色に染っていて、小さい顔は、かぐようほどに清浄であった。からだじゅうからレモンの匂いに似た高い香気が発していた。ヴィナスのこの美しさに魅せられた神々たちは、このひとこそは愛と美の女神であると言ってあがめたて、心ひそかに怪しからぬ望をさえいだいたのである。

ヴィナスが白鳥に曳かせた二輪車に乗り、森や果樹園のなかを駈けめぐって遊んでいると、怪しからぬ望を持った数十人の神々たちは、二輪車の濛々たる車塵を浴びながら汗を拭き拭き、そのあとを追いまわした。遊び疲れたヴィナスが森の奥の奥の冷い泉で、汗ばんだ四肢をこっ

そり洗っていると、あちらの樹間（このま）に、また、ついそこの草の茂みのかげに、神々たちのいやらしい眼が光っていた。

ヴィナスは考えた。こんなに毎日うるさい思いをするよりは、いっそ誰かにこのからだをぶち投げてあげようか。これときめた一人の男のひとに、このからだを投げてやってしまおうか。

ヴィナスは決意した。一月一日の朝まだき、神々の御父ジュピタア様の宮殿へおまいりの途中で逢った三人目の男のひとを私の生涯の夫ときめよう。ああ、ジュピタア様、おたのみ申します、よい夫をおさずけ下さいますように。

元旦。ま白き被布を頭からひきかぶり、飛ぶようにして家を出た。森の小路で一人目（いちにん）の男のひとに逢った。見るからにむさくるしい毛むくじゃらの神であった。森の出口の白樺（しらかば）の下で二人目の男のひとに逢った。ヴィナスの脚は、はたと止って動かなんだ。男、りんりんたる美丈夫であったのである。朝霧の中を腕組みして、ヴィナスの顔を見もせずにゆったりと歩いていった。「ああ、この人だ！　三人目はこの人だ。二人目は、――二人目はこの白樺。」そう叫んでますらおの広いみ胸に身を投げた。

与えられた運命の風のまにまに身を任（まか）せ、そうして大事の一点で、ひらっと身をかわして、より高い運命を創（つく）る。宿命と、一点の人為的なる技術。ヴィナスの結婚は仕合せであった。ますらおこそはジュピタア様の御曹子（おんぞうし）、雷電の征服者ヴァルカンその人であった。キュウピッドという愛くるしい子をさえなした。

諸君が二十世紀の都会の街路で、このような、うらないを、暮靄ひとめ避けつつ、ひそかに試みる場合、必ずしも律儀に三人目のひとを選ばずともよい。時に依っては、電柱を、ポストを、街路樹を、それぞれ一人に数え上げるがよい。キュウピッドの生れることは保証の限りでないけれども、ヴァルカン氏を得ることは確かである。私を信じなさい。


ろ、牢屋は暗い。


暗いばかりか、冬寒く、夏暑く、臭く、百万の蚊群。たまったものでない。

牢屋は、之は避けなければいけない。けれども、ときどき思うのであるが、修身、斉家、治国、平天下、の順序には、固くこだわる必要はない。身いまだ修らず、一家もとより斉わざるに、治国、平天下を考えなければならぬ場合も有るのである。むしろ順序を、逆にしてみると、爽快である。平天下、治国、斉家、修身。いい気持だ。

私は、河上肇博士の人柄を好きである。

**は**、母よ、子のために怒れ。

「いいえ、私には信じられない。悪いのは、あなただ。この子は、情のふかい子でした。この子は、いつでも弱いものをかばいました。この子は、私の子です。おお、よし。お泣きでない。こうしてお母さんが、来たからには、もう、指一本ふれさせまい！」

**に**、憎まれて憎まれて強くなる。

たまには、まともな小説を書けよ。おまえ、このごろ、やっと世間の評判も、よくなって来たのに、また、こんなぐうたらな、いろは歌留多（かるた）なんて、こまるじゃないか。世間の人は、おまえは、まだ病気がなおらないのではないかと、また疑い出すかも知れないよ。

私のいい友人たちは、そう言って心配してくれるかも知れないが、それは、もう心配しなくていいのだ。私は、まだ、老人でない。このごろそれに気がついた。なんのことは、ない、すべて、これからである。未熟である。文章ひとつ、考え考えしながら書いている。まだまだ自分のことで一ぱいである。怒り、悲しみ、笑い、身悶（みもだ）えして、一日一日を送っている始末である。やはり、三十一歳は、三十一歳だけのことしかないのである。それに気がついたのである。

あたりまえのことであるが、私は、これを有り難い発見だと思っている。戦争と平和や、カラマゾフ兄弟は、まだまだ私には、書けないのである。それは、もう、はっきり明言できるのである。絶対に書けない。気持だけは、行きとどいていても、それを持ちこたえる力量がないのである。けれども、私は、そんなに悲しんではいない。私は、長生きをしてみるつもりである。やってみるつもりである。この覚悟も、このごろ、やっとついた。私は、文学を好きである。その点は、よほどのものである。これを茶化しては、いけない。好きでなければ、やれるものではない。信仰、――少しずつ、そいつがわかって来るのだ。大きな男が、ふんべつ顔して、いろは歌留多などを作っている図か、モオゼがパチンコで雀をねらっている図ぐらいに、すこぶる珍なものに見えるだろうと、思う。それは、知っている。けれども、それでいいと思っている。芸術とは、そんなものだ。大まじめである。見ることのできる者は、見るがよい。

もちろん私は、こんな形式のものばかり書いて、満足しているものではない。こんな、ややこしい形式は、私自身も、骨が折れて、いやだ。既成の小説の作法も、ちゃんと抜からずマスタアしている筈(はず)である。現に、この小説の中にも、随所にずるく採用して在る。私も商人なのだから、そのへんは心得ている。所謂(いわゆる)、おとなしい小説も、これからは書くのである。どうも、こんなこと書きながら、みっともなく、顔がほてって来て仕様がない。でも、これも、私のいい友人たちを安心させるために、どうしても、書いて置きたく思うのである。純粋を追うて、窒息するよりは、私は濁っても大きくなりたいのである。いまは、そう思っている。なんのことは、ない、一言で言える。負けたくないのである。

この作品が、健康か不健康か、それは読者がきめてくれるだろうと思うが、この作品は、決して、ぐうたらでは無い。ぐうたら、どころか、私は一生懸命である。こんな小説を、いま発表するのは、私にとって不利益かも知れない。けれども、三十一歳は、三十一歳なりに、いろいろ冒険してみるのが、ほんとうだと思っている。戦争と平和は、私にはまだ書けない。私は、これからも、様々に迷うだろう。くるしむだろう。波は荒いのである。その点は、自惚れていない。充分、小心なほどに、用心しているつもりである。この作品の形式も、情感も、結局、三十一歳のそれを一歩も出ていないに違いない。けれども、私は、それに自信を持たなければいけない。三十一歳は、三十一歳みたいに書くより他に仕方が無い。それが一ばんいいのだと思っている。書きながら、へんに悲しくなって来た。こんなことを書いて、いけなかったのかも知れない。けれども、胸がわくわくして、どうしても書かずにいられなかったのだ。このごろは、全く、用心して用心して、薄氷を渡る気持で生活しているのである。ずいぶん、ひどく、やっつけられたから。

でも、もういい。私は、やってみる。まだ少し、ふらふらだが、そのうち丈夫に育つだろう。

嘘をつかない生活は、決してたおれることは無いと、私は、まず、それを信じなければ、いけない。

さて、むかしの話を一つしよう。

不仕合せである、と思った。ひと、みな、私を、まだまだ仕合せなほうだよ、と評した。私は気弱く、そうとも、そうとも、と首肯した。なにが不足で、あがくのだろう、好き好んで苦しみを買っているのだ、人生の、生活のディレッタント、運がよすぎて恐縮していやがる、あんなたちの女があるよ苦労性と言ってね陰口だけを気にしている。

あるいはまた、佳人薄命（かじんはくめい）、懐玉有罪（かいぎょくゆうざい）、など言って、私をして、いたく赤面させ、狼狽させて私に大酒のませる悪戯者（いたずらもの）まで出て来た。

けれども、某夜、君は不幸な男だね、と普通の音声で言って平気でいた人、佐藤春夫である。私は、ぱっと行くてがひらけた実感に打たれ、ほんとにそう思いますか、と問いただした。私は、うすく微笑んでいたような気がする。うん、不幸だ、とやはり気易く首肯した。

もう一人、文藝春秋社のほの暗い応接室で、M・Sさん。きみと、しんじゅうするくらいに、きみを好いてくれるような、そんな、編輯者（へんしゅうしゃ）でも出て来ぬかぎり、きみは、不幸な、作家だ、と一語ずつ区切ってはっきり言った。そのように、きっぱり打ち明けて呉れるSさんの痩軀（そうく）に満ちた決意のほどを、私は尊いことに思った。

多くの場合、私はただ苦笑を以て報いられていたのである。多くの人々にとって、私は、なんだかうるさい、ただ生意気な存在であった。けれども私は、みんなを畏怖して、それから、みんなをすこしでも、そうして一時間でも永く楽しませ、自信を持たせ、大笑いさせたく、そのことをのみ念じていた。私は盗賊のふりをした。乞食の真似をさえして見せた。心の奥の一隅に、まことの盗賊を抱き、乞食の実感を宿し、懊悩転輾の日夜を送っている弱い貧しい人の子は、私の素振りの陰に罪の兄貴を発見して、ひそかに安堵、生きることへの自負心を持って呉れるにちがいない、と信じていた。ばかなことを考えていたものである。たちまち私は、蹴落された。審判の秋。私は、にくしみの対象に変化していた。或る重要な一線に於いて、私は、明確におろそかであった。怠惰であった。一線、やぶれて、決河の勢、私は、生れ落ちるとからの極悪人よ、と指摘された。弱い貧しい人の子の怨嗟、嘲罵の焔は、かつての罪の兄貴の耳朶を焼いた。あちちちち、と可笑しい悲鳴挙げて、右往、左往、炉縁に寄れば、どんぐりの爆発、水瓶の水のもうとすれば、蟹の鋏、びっくり仰天、尻餅つけばおしりの下には熊蜂の巣、こはかなわずと庭へ飛び出たら、屋根からごろごろ臼のお見舞い、かの猿蟹合戦、猿への刑罰そのままの八方ふさがり、息もたえだえ、魔窟の一室にころがり込んだ。

　あの夜のことを、私は忘れぬ。死のうと思っていた。しかたが無いのである。酔いどれて、マントも脱がずにぶったおれて、

「やい、むかしの名妓というものは、」女は傍で笑っていた。「どんな奴にでも、なんでもなく身をまかせたんだ。水みたいに、のれんみたいに、そのまま身をまかせるんだ。そうしてモナ・リザみたいに少し唇ゆがめて、静かにしていると、お客は狂っちゃうんだ、田地田畑売りはらうんだ。いいかい、そこんところは大事だぞ。むかしから名妓とうたわれているひとは、みんな、そうだった。むやみに、指輪なんかねだっちゃいけないんだ。いつまでも、だまって足りなそうにしているんだ。芸は売っても、からだは売らぬなんて、操を固くしている人は、そこは女だ、やっぱりからだをまかせると、それっきりお客がつかず、どうしたって名妓には、なれないんだ。」ひどい話である。サタンの美学、名妓論の一端とでも言うのか。めちゃ苦茶のこと吐鳴り散らして、眠りこけた。

ふと眼をさますと、部屋は、まっくら。頭をもたげると枕もとに、真白い角封筒が一通きちんと置かれてあった。なぜかしら、どきッとした。光るほどに純白の封筒である。キチンと置かれていた。手を伸ばして、拾いとろうとすると、むなしく畳をひっ掻いた。はッと思った。月かげなのだ。その魔窟の部屋のカアテンのすきまから、月光がしのびこんで、私の枕もとに真四角の月かげを落していたのだ。凝然とした。私は、月から手紙をもらった。言いしれぬ恐怖であった。

いたたまらず、がばと跳ね起き、カアテンひらいて窓を押し開け、月を見たのである。月は、他人の顔をしていた。何か言いかけようとして、私は、はっと息をのんでしまった。月は、それでも、知らんふりである。酷冷、厳徹、どだい、人間なんて問題にしていない。けたがちがう。私は醜く立ちつくし、苦笑でもなかった、含羞でもなかった、そんな生やさしいものではなかった。唸った。そのまま小さい、きりぎりすに成りたかった。

甘ったれていやがる。自然の中に、小さく生きて行くことの、孤独、峻厳を知りました。かみなりに家を焼かれて瓜の花。その、はきだめの瓜の花一輪を、強く、大事に、育てて行こうと思いました。

ほ、蛍の光、窓の雪。

清窓浄机、われこそ秀才と、書物ひらいて端座しても、ああ、その窓のそと、号外の鈴の音が通るよ。それでも私たちは、勉強していなければいけないのだ。聞けよ、金魚もただ飼い放ちあるだけでは月余の命たもたず、と。

へ、兵を送りてかなしかり。

戦地へ行く兵隊さんを見送って、泣いては、いけないかしら。どうしても、涙が出て出て、だめなんだ、おゆるし下さい。

と、とてもこの世は、みな地獄。

不忍（しのばず）の池、と或る夜ふと口をついて出て、それから、おや？　可笑しな名詞だな、と気附いた。これには、きっとこんな由来があったのだ。それにちがいない。

たしかな年代は、わからぬ。江戸の旗本の家に、冠（かんむり）若太郎という十七歳の少年がいた。さくらの花びらのように美しい少年であった。竹馬（ちくば）の友に由良（ゆら）小次郎という、十八歳の少年武士があった。これは、三日月のように美しい少年であった。冬の曇日、愛馬の手綱の握りかたに就（つ）いて、その作法に就いて、二人のあいだに意見の相違が生じ、争論の末、一方の少年の、にやりという片頰の薄笑いが、もう一方の少年を激怒させた。

「切る。」

「よろしい。ゆるさぬ。」決闘の約束をしてしまった。

その約束の日、由良氏は家を出ようとして、冷雨（ひさめ）びしょびしょ。内へひきかえして、傘さして出かけた。申し合せたところは、上野の山である。途中、傘なくしてまちの家の軒下に雨宿りしている冠氏の姿を認めた。冠氏は、薄紅の山茶花の如く寒しげに、肩を小さく窄め、困惑の有様であった。

「おい。」と由良氏は声を掛けた。

冠氏は、きょろとして由良氏を見つけ、にっと笑った。由良氏も、すこし頬を染めた。

「行こう。」

「うむ。」冷雨の中を、ふたり並んで歩いた。

一つの傘に、ふたり、頭を寄せて、歩いていた。そうして、さだめの地点に行きついた。

「用意は？」

「できている。」

すなわち刀を抜いて、向き合って、ふたり同時にぷっと噴き出した。切り結んで、冠氏が負けた。由良氏は、冠氏の息の根を止めたのである。

刀の血を、上野の池で洗って清めた。

「遺恨は遺恨だ。武士の意地。約束は曲げられぬ。」

その日より、人呼んで、不忍の池。味気ない世の中である。

**ち**、畜生のかなしさ。

むかしの築城の大家は、城の設計にあたって、その城の廃墟になったときの姿を、最も顧慮して図をひいた。廃墟になってから、ぐんと姿がよくなるように設計して置くのである。むかしの花火つくりの名人は、打ちあげられて、玉が空中でぽんと割れる、あの音に最も苦心を払った。花火は聞くもの。陶器は、掌に載せたときの重さが、一ばん大事である。古来、名工と言われるほどの人は、皆この重さについて、最も苦慮した。

などと、もっともらしい顔して家の者たちに教えてやると、家の者たちは、感心して聞いている。なに、みな、でたらめなのだ。そんなばからしいこと、なんの本にだって書かれてはいない。

また言う。

こいしくば、たずね来て見よいずみなる、しのだの森のうらみくずの葉。これは、誰でも知っている。牝の狐の作った歌である。うらみくずの葉というところ、やっぱり畜生の、あさましい恋情がこもっていて、はかなく、悲しいのである。底の底に、何か凄い、この世のものでない恐ろしさが感じられるのである。むかし、江戸深川の旗本の妻女が、若くして死んだ。女児ひとりをのこしていった。一夜、夫の枕もとに現われて、歌を詠んだ。闇の夜の、におい山路たどりゆき、かな哭く声に消えまよいけり。におい山路は、冥土に在る山の名前かも知れない。かなは、女児の名であろう。消えまよいけりは、いかにも若い女の幽霊らしく、あわれではないか。
いまひとつ、これも妖怪の作った歌であるが、事情は、つまびらかでない。意味も、はっきりしないのだが、やはり、この世のものでない凄惨さが、感じられるのである。それは、こんな歌である。わぎもこを、いとおし見れば青鷺や、言の葉なきをうらみざらまし。
そうして白状すれば、みんな私のフィクションである。フィクションの動機は、それは作者の愛情である。私は、そう信じている。サタニズムではない。

り、竜宮さまは海の底。

老僕の肉体を抱き、見果てぬ夢を追い、荒涼の磯をさまようもの、白髪の浦島太郎は、やはりこの世にうようよ居る。かなぶんぶんを、バットの箱にいれて、その虫のあがく足音、かさかさというのを聞きながら目を細めて、これは私のオルゴオルだ、なんて、ずいぶん悲惨なことである。古くは、ドイツ廃帝。または、エチオピア皇帝。きのうの夕刊に依ると、スペイン大統領、アサーニア氏も、とうとう辞職してしまった。もっとも、これらの人たちは、案外のんきに、自適しているのかも知れない。桜の園を売り払っても、なあに山野には、桜の名所がたくさん在る、そいつを皆わがものと思って眺めてたのしむのさ、と、そこは豪傑たち、さっぱりしているかも知れない。けれども私は、ときどき思うことがある。宋美齢(そうびれい)は、いったい、どうするだろう。

ぬ、沼の狐火。

北国の夏の夜は、ゆかた一枚では、肌寒い感じである。当時、私は十八歳、高等学校の一年生であった。暑中休暇に、ふるさとの邑(むら)へかえって、邑のはずれのお稲荷(いなり)の沼に、毎夜、毎夜、五つ六つの狐火が燃えるという噂を聞いた。

月の無い夜、私は自転車に提灯(ちょうちん)をつけて、狐火を見に出かけた。幅(はば)一尺か、五寸くらいの心細い野道を、夏草の露を避けながら、ゆらゆら自転車に乗っていった。みちみち、きりぎりすの声うるさく、ほたるも、ばら撒(ま)かれたようにたくさん光っていた。お稲荷の鳥居をくぐり、うるしの並木路を走り抜け、私は無意味やたらに自転車の鈴を鳴らした。

沼の岸に行きついて、自転車の前輪が、ずぶずぶぬかった。私は、自転車から降りて、ほっと小さい溜息。狐火を見た。

沼の対岸、一つ、二つ、三つの赤いまるい火が、ゆらゆら並んでうかんでいた。私は自転車をひきずりながら、沼の岸づたいに歩いていった。周囲十丁くらいの小さい沼である。近寄ってみると、五人の老爺が、むしろをひいて酒盛をしていた。狐火は、沼の岸の柳の枝にぶらさげた三個の灯籠であった。運動会の日の丸の灯籠である。老爺たちは、私の顔を覚えていて、みんな手を拍って笑って、私を歓迎した。私は、その五人のうちの二人の老爺を知っていた。ひとりは米屋で破産、ひとりは汚い女をおめかけに持って痴呆になり、ともにふるさとの、笑いものであった。沼の水を渡って来る風は、とても臭い。

五人のもの、毎夜ここに集い、句会をひらいているというのである。私の自転車の提灯の火を見て、さては、狐火、と魂消しましたぞ、などと相かえり見て言って、またひとしきり笑いさざめくのである。私は、冷いにごり酒を二、三杯のまされ、そうして、かれらの句というものを、いくつか見せつけられたのである。いずれも、ひどく下手くそであった。すすきのかげの、されこうべ、などという句もあった。私はそのまま、自転車に乗って家へかえった。

「明月や、座に美しき顔もなし。」芭蕉も、ひどいことを言ったものだ。

**る**、流転輪廻。

ここには、或る帝大教授の身の上を書こうと思ったのであるが、それが、なかなかむずかしい。その教授は、つい二、三日まえに、起訴された。左傾思想、ということになっている。けれども、この教授は、五六年まえ、私たち学生のころ、自ら学生の左傾思想の善導者を以て任じていた筈である。そうして、そのころの教授の、善導の言論も、やはり今日の起訴の理由の一つとして挙げられている。そのへんが、なかなかむずかしいのである。

もう四、五日余裕があれば、私も、いろいろと思案し、工夫をこらして、これを、なんとか一つの物語にまとめあげて、お目にかけるのだが、きょうは、すでに三月二日である。この雑誌は、三月十日前後に発売されるらしいのだから、きょうあたりは、それこそぎりぎりの締切日なのであろう。私は、きょうは、どんなことがあっても、この原稿を印刷所へ、とどけなければいけない。そう約束したのである。こんな、苦しい思いをするのも、つまりは日常の怠惰の故である。こんなことでは、たしかにいけない。覚悟ばかりは、たいへんでも、今までみたいに怠けていたんじゃ、ろくな小説家になれない。

を、姥捨山のみねの松風。

もって自戒とすべし。もういちど、こんな醜態を繰りかえしたら、それこそは、もう姥捨山だ。懶惰の歌留多。文字どおり、これは懶惰の歌留多になってしまった。はじめから、そのつもりでは、なかったのか？　いいえ、もう、そんな嘘は吐（つ）きません。

**わ**、われ山にむかいて眼を挙ぐ。

**か**、下民しいたげ易く、上天あざむき難し。

**よ**、夜の次には、朝が来る。

# 新樹の言葉

甲府は盆地である。四辺、皆、山である。小学生のころ、地理ではじめて、盆地という言葉に接して、訓導からさまざまに説明していただいたが、どうしても、その実景を、想像してみることができなかった。甲府へ来て見て、はじめて、なるほどと合点(がてん)できた。大きい大きい沼を、掻乾(かいぼし)して、その沼の底に、畑を作り家を建てると、それが盆地だ。もっとも甲府盆地くらいの大きい盆地を創るには、周囲五、六十里もあるひろい湖水を掻乾しなければならぬ。

沼の底、なぞというと、甲府もなんだか陰気なまちのように思われるだろうが、事実は、派手に、小さく、活気のあるまちである。よく人は、甲府を、「擂鉢(すりばち)の底」と評しているが、当っていない。甲府は、もっとハイカラである。シルクハットを倒(さか)さまにして、その帽子の底に、小さい小さい旗を立てた、それが甲府だと思えば、間違いない。きれいに文化の、しみとおっているまちである。

早春のころに、私はここで、しばらく仕事をしていたことがある。雨の降る日に、傘もささずに銭湯へ出かけた。銭湯は、すぐ近いのである。途中、雨合羽着た郵便屋さんと、ふと顔を見合せ、

「あ、ちょいと。」郵便屋が、小声で私を呼びとめたのである。

私は、驚かなかった。何か、私あての郵便が来たのだろうと思って、にこりともせず、だまって郵便屋へ手を差し出した。

「いいえ、きょうは、郵便来ていません。」そう言って微笑(ほほえ)む郵便屋の鼻の先には、雨のしずくが光っていた。二十二、三の頰の赤い青年である。可愛い顔をしていた。

「あなたは、青木大蔵さん。そうですね。」

「ええ、そうです。」青木大蔵というのは、私の、本来の戸籍名である。

「似ています。」

「なんですか。」私は、少し、まごついた。

郵便屋は、にこにこ笑っている。雨に濡れながら二人、路上でむき合って立ったまま、しばらく黙っている。へんなものだった。

「幸吉さんを知っていますか。」いやに、なれなれしく、幾分からかうような口調で、そんなこと言い出した。「内藤幸吉さんを。ご存じでしょう?」

「内藤、幸吉、ですか？」

「ええ、そうです。」郵便屋は、もう私が知っていることにきめてしまったらしく、自信たっぷりで首肯する。

私は、なお少し考えて、

「存じませんね。」

「そうですか。」こんどは郵便屋もまじめに首をかしげて、「あなたは、おくには、津軽のほうでしょう？」

「こちらへいらっしゃい。雨が、ひどくなりました。」

とにかく雨にこんなに濡れては、かなわないので、私は、そっと豆腐屋の軒下に難を避けて、

「ええ。」と素直に、私と並んで豆腐屋の軒下に雨宿りして、「津軽でしょう？」

「そうです。」自分でも、はっと思ったほど、私は不気嫌な答えかたをしてしまった。片言半句でも、ふるさとのことに触れられると、私は、したたか、しょげるのである。痛いのである。

「それじゃ、たしかだ。」郵便屋は、桃の花の頬に、靨を浮べて笑った。「あなたは、幸吉さんの兄さんです。」

私は、なぜか、どきっとした。いやな気がした。

「へんなことを、おっしゃいますね。」

「いいえ、もう、それに違いないのです。」ひとりで、はしゃいで、「似ていますよ。幸吉さん、よろこぶだろうなあ。」

つばめのように、ひらと身軽に雨の街路に躍り出て、

「それじゃ、あとでまた。」少し走って、また振りかえり、「すぐに幸吉さんに知らせてあげますから、ね。」

ひとり豆腐屋の軒下に、置き残され、私は夢みるようであった。白日夢。そんな気がした。ひどくリアリティがない。ばかげた話である。とにかく、銭湯まで一走り。湯槽(ゆぶね)に、からだを沈ませて、ゆっくり考えてみると、不愉快になって来た。どうにも、むかむかするのである。私が、おとなしく昼寝をしていて、なんにもしないのに、蜂が一匹、飛んで来て、私の頬を刺して、行った。そんな感じだ。全くの災難である。東京での、いろいろの恐怖を避けて、甲府へこっそりやって来て、誰にも住所を知らせず、やや、落ちついて少しずつ貧しい仕事をすめて、このごろ、どうやら仕事の調子も出て来て、ほのかに嬉しく思っていたのに、これはまた、思いも設(もう)けぬ災難である。なんとも知れぬ人物が、ぞろぞろ目前にあらわれて、私に笑いかけ、話しかけ、私はそのお化けたちに包囲され、なんと挨拶の仕様もなく、ただうろうろしている図は、想像してさえ不愉快である。仕事も何も、あったものじゃない。いい加減に私を掻きまわして、いや、どうも、人ちがいでした、と言って引きあげて行くにきまっているのだ。

内藤幸吉。いくら考えたって、そんなもの知りやしない。しかも、兄弟だなんて、ばかばかしい。人ちがいであることは、明白だ。いずれ、逢えば、すべての黒白は、つく筈だ。それにしても、私のこの不愉快さは、どうしてくれる。見知らぬ他人から、兄さん、おなつかしゅう、など言われて、ふざけた話だ。いやらしい。なまぬるく、べとべとして、喜劇にもならない。無智である。安っぽい。

　がまんできぬ屈辱感にやられて、風呂からあがり、脱衣場の鏡に、自分の顔をうつしてみると、私は、いやな兇悪な顔をしていた。

　不安でもある。きょうのこの、思わぬできごとのために、私の生涯が、またまた、逆転、てひどい、どん底に落ちるのではないか、と過去の悲惨も思い出され、こんな、降ってわいた難題、たしかに、これは難題である、その笑えない、ばかばかしい限りの難題を持てあまして、とうとう気持が、けわしくなってしまって、宿へかえってからも、無意味に、書きかけの原稿用紙を、ばりばり破って、そのうちに、この災難に甘えたい卑劣な根性も、頭をもたげて来て、こんなに不愉快で、仕事なんてできるものか、など申しわけみたいに呟いて、押入れから甲州産の白葡萄酒の一升瓶をとり出し、茶呑茶碗で、がぶがぶのんで、酔って来たので蒲団ひいて寝てしまった。これも、なかなか、ばかな男である。

　宿の女中に起された。

「もし、もし、お客さんですよ。」

来たな、とがばと跳ね起き、

「とおして呉れ。」

電灯が、ぼっと、ともっていた。障子が、浅黄色。六時ごろでもあろうか。

私は素早く蒲団をたたみ押入れにつっこんで、部屋のその辺を片づけて、羽織をひっかけ、羽織紐をむすんで、それから、机の傍にちゃんと坐って身構えた。異様な緊張であった。まさか、こんな奇妙な経験は、私としても、一生に二度とは、あるまい。

客は、ひとりであった。久留米絣を着ていた。女中に通され、黙って私のまえに坐って、ていねいな、永いお辞儀をした。私は、せかせかしていた。ろくろく、お辞儀もかえさず、

「ひと違いなんです。お気の毒ですが、ひと違いなんです。ばかばかしいのです。」

「いいえ。」低くそう言って、お辞儀の姿勢のままで、振り仰いだ顔は、端正である。眼が大きすぎて、少し弱い、異常な感じを与えるけれど、額も、鼻も、唇も、顎も、彫りきざんだように、線が、はっきりしていた。ちっとも、私と似ていやしない。「おつるの子です。お忘れでしょうか。母は、あなたの乳母をしていました。」

はっきり言われて、あ、と思いあたった。飛びあがりたいほど、きつい激動を受けたのである。

「そうか。そうか。そうですか。」私は、自分ながら、みっともないと思われるほど、大きい声で笑い出した。「これあ、ひどいね。まったく、ひどいね。そうか。ほんとうですか？」他に、言葉は無かった。

「は、」幸吉も、白い歯を出して、あかるく笑った。「いつか、お逢いしたいと思っていました。」

いい青年だ。これは、いい青年だ。私には、ひとめ見て、それがわかるのである。からだがしびれるほどに、謂わば、私は、ばんざいであった。大歓喜。そんな言葉が、あたっている。くるしいほどの、歓喜である。

私は生れ落ちるとすぐ、乳母にあずけられた。理由は、よくわからない。母のからだが、弱かったからであろうか。乳母の名は、つるといった。津軽半島の漁村の出である。未だ若い様であった。夫と子供に相ついで死にわかれ、ひとりでいるのを、私の家で見つけて、傭ったのである。この乳母は、終始、私を頑強に支持した。世界で一ばん偉いひとにならなければ、いけないと、そう言って教えた。つるは、私の教育に専念していた。私が、五歳、六歳になって、ほかの女中に甘えたりすると、まじめに心配して、あの女中は善い、あの女中は悪い、なぜ善いかというと、なぜ悪いかというと、と、いちいち私に大人の道徳を、きちんと坐って教えてくれたのを、私は、未だに忘れずに居る。いろいろの本を読んで聞かせて、片時も、私を手放さなかった。六歳、のころと思う。つるは私を、村の小学校に連れていって、たしか三年級の教室の、うしろにひとつ空いていた机に坐らせ、授業を受けさせた。読方は、できた。なんでもなく、できた。けれども、算術の時間になって、私は泣いた。ちっとも、なんにも、できないのである。つるも、残念であったにちがいない。私は、そのときは、つるに間がわるくて、ことにも大袈裟に泣いたのである。私は、つるを母だと思っていた。ほんとうの母を、ああ、このひとが母なのか、とはじめて知ったのは、それからずっと、あとのことである。一夜、つるがいなくなった。夢見ごこちで覚えている。唇が、ひやと冷く、目をさますと、つるが、枕もとに、しゃんと坐っていた。ランプは、ほの暗く、けれどもつるは、光るように美しく白く着飾って、まるでよそのひとのように冷く坐っていた。

「起きないか。」小声で、そう言った。

私は起きたいと努力してみたが、眠くて、どうにも、だめなのである。つるは、そっと立って部屋を出ていった。翌る朝、起きてみて、つるが家にいなくなっているのを知って、つるいない、つるいない、とずいぶん苦しく泣きころげた。子供心ながらも、ずたずた断腸の思いであったのである。あのとき、つるの言葉のままに起きてやったら、どんなことがあったか、それを思うと、いまでも私は、悲しく、くやしい。つるは、遠い、他国に嫁いだ。そのことは、ずっと、あとで聞いた。

私が小学校二、三年のころ、お盆のときに、つるが、私の家へ、いちど来た。すっかり他人になっていた。色の白い、小さい男の子を連れて来ていた。台所の炉傍(ろばた)に、その男の子とふたり並んで坐って、お客さんのように澄ましていた。私にむかっても、うやうやしくお辞儀をして、実によそよそしかった。つるは、私に正面むいて、祖母が自慢げに、私の学校の成績を、つるに教えて、私は、思わずにやにやしたら、つるは、

「田舎では一番でも、よそには、もっとできる子がたくさんいます。」と教えた。

私は、はっとなった。

それきり、つるを見ない。年月を経るにしたがい、つるに就(つ)いての記憶も薄れて、私が高等学校にはいったとし、夏休みに帰郷して、つるが死んだことを家のひとたちから聞かされたけれど、別段、泣きもしなかった。つるの亭主は、甲州の甲斐(かい)絹問屋の番頭で、いちど妻に死なれ、子供もなかったし、そのまま、かなりのとしまで独身でいて、年に一度ずつ、私のふるさとのほうへ商用で出張して来て、そのうちに、世話する人があって、つるを娶(めと)った。そのような事実も、そのとき聞いて、はじめて知ったくらいのもので、家の人たちさえ、それ以上のことは、あまり深く知らない様子であった。十年はなれていたので、つるが死んでも生きても、私の実感として残っているのは、懸命の育ての親だった若いつるだけで、それを懐しむ心はあっても、その他のつるは、全く他人で、つるが死んだと聞かされても、私は、あ、そうかと思

っただけで、さして激動は受けないのである。それから、また十年、つるは私の遠い思い出の奥で小さく、けれども決して消えずに尊く光ってはいるのだが、その姿は純粋に思い出の中で完成され固定されてしまっているので、まさか、いまのこの現実の生活と、つながるなどとは、思いも及ばぬことであった。

「つるは、甲府にいたのですか？」私は、それさえ知らなかった。

「え、父がこの土地で、店をひらいて居りました。」

「甲斐絹問屋につとめて居られた、――」つるの亭主が、甲斐絹問屋の番頭だったことは、私も、まえに家の人たちから聞いたことがあるので、それは、忘れずに知っていた。

「え、谷村（やむら）の丸三（まるさん）という店に奉公して居りましたが、のちに、独立して、甲府で呉服屋をはじめました。」

言いかたが、生きている人のことを語っているようでも無いので、

「お達者ですか。」

「は、なくなりました。」はっきり答えて、それから少し寂しそうにして、笑った。

「それじゃ、御両親とも。」

「そうなんです。」幸吉さんは、淡々としていた。「母が死んだのは、ごぞんじなんですね。」

「知っています。私が、高等学校へはいったとしに、聞きました。」

「十二年まえです。僕が十三で、ちょうど小学校を卒業したとしでした。それから五年経って、僕が中学校を卒業する直前に、父は狂い死しました。母が死んでから、もう、元気がないようでしたが、それから、すこし、まあ遊びはじめたのでしょうね、店は可成大きかったのですが、衰運の一途でした。あのときは全国的に呉服屋が、いけないようでした。いろいろ苦しいこともあったのでしょう。いけない死にかたをしました、井戸に飛びこみました。世間には、心臓痲痺ということにしてありますけれど。」

わるびれる様子もなく、そうかといって、露悪症みたいな、荒んだやけくその言いかたでもなく、無心に事実を簡潔に述べている態度である。私は、かれの言葉に、爽快なものを感じたほどなのであるが、けれども、ひとの家の細いことにまで触れるのは、私は不安で、いやだから、すぐに話題をそらした。

「つるは、いくつでなくなったのですか？」

「母ですか。母は、三十六でなくなりました。立派な母でした。死ぬる直前まで、あなたの名前を言っていました。」

そうして、会話がとぎれてしまった。私が黙っていると、青年も黙って落ちついている。私が、いつまでも言葉を見つけ得ずに、かなわない気持でいたら、

「出ませんか。おいそがしいですか。」と言って、私を救って呉れた。

私も、ほっとして、

「ああ、出ましょう。一緒に、晩御飯でも、たべますか。」さっそく立ち上って、「雨も、はれたようですね。」

ふたり、そろって宿を出た。

青年は、笑いながら、

「今夜はね、計画があるのですよ。」

「ああ、そうですか。」私には、もう、なんの不安もなかった。

「だまって、つき合って下さい。」

「承知しました。どこへでも行きます。」仕事を、全部犠牲にしても、悔いることは無いと思っていた。

歩きながら、

「でも、よく逢えたねえ。」

「ええ、お名前は、まえから母に朝夕、聞かされて、失礼ですが、ほんとうの兄のような気がして、いつかはお逢いできるだろう、と奇妙に楽観していたのです。へんですね、いつかは逢えると確信していたので、僕は、のんきでしたよ。僕さえ丈夫で生きていたら。」

ふと、私は、目蓋(まぶた)の熱いのを意識した。こんなに陰で私を待っていた人もあったのだ。生きていて、よかった、と思った。

「私が十歳くらいで、君が三つか四つくらいのとき、いちど逢ったことがあるんじゃないかしら。つるが、お盆のとき、小さい、色の白い子を連れて来て、その子が、たいへん行儀がよく、おとなしいので、私は、ちょっとその子を嫉妬(しっと)したものだが、あれが君だったのかしら。」

「僕、かも知れません。よく覚えていないのです。大きくなってから、母にそう言われて、ぼんやり思い出せるような気がしました。なんでも、永い旅でした。お家のまえに、きれいな川が流れていました。」

「川じゃないよ。あれは溝(みぞ)だ。庭の池の水があふれて、あそこへ流れて来ているのだ。」

「そうですか。それから、大きな、さるすべりの木が、お家のまえに在りました。まっかな花が、たくさん咲いていました。」

「さるすべりじゃないだろう。ねむ、の木なら、一本あるよ。それも、そんなに大きくない。君は、そのころ小さかったから、溝でも、木でも、なんでも大きく大きく見えたのだろう。」

「そうかも知れませんね。」幸吉は、素直にうなずいて、笑っている。「そのほかのことは、ちっとも、なんにも、覚えていません。あなたのお顔ぐらいは、覚えて置いても、よかったのに。」

「三つか、四つのころでは、記憶にないのが当りまえさ。けれど、どうだい、はじめて逢った兄なるものは、あんな安宿でごろごろしていて、風采もぱっとせず、さびしくないか。」

「いいえ。」はっきり否定したが、どこか気まずそうに見えた。さびしいのだ。こういう人が在ると知ったら、私は、せめて中学校の先生くらいにはなっていたのにと、くやしく思った。

「さっきの郵便屋さんは、君のお友達かね。」私は、話題を転じた。

「そうです。」幸吉さんは、ぱっと明るい顔になって、「親友です。萩野君と言います。いい人ですよ。あの人は、こんどは手柄をたてました。まえから僕が、あの人に、あなたのことを言ってあかして居りましたので、あの人も、あなたのお名前を知ってしまって、そうして、たびたび、あなたのところへ郵便配達しているうちに、ふと、このひとじゃないかと思ったのだそうです。五、六日まえ、僕のところへ来て、そんなこと言いますから、僕もわくわくして、どんな人か、と聞きましたら、ただ宿へ郵便を投げこむだけなのだから、顔は見たことがない、と言います。それなら、こんどは様子を、それとなく内偵してみてくれ、もし人ちがいだと、醜態だから、と妹まで一緒になって、大騒ぎでした。」

「妹さんも、あるのですか。」私のよろこびは、いよいよ高い。

「ええ、私と四つちがうのですから、二十一です。」

「すると、君は、」私は、急に頬がほてって来たので、あわてて別なことを言った。「二十五ですね。私とは、六つちがうわけだ。どこかへ、おつとめですか。」

「そこのデパアトです。」

眼をあげると、大丸デパアトの五階建の窓窓がきらきら華やかに灯っている。もう、この辺は、桜町である。甲府で一ばん賑やかな通りで、土地の人は、甲府銀座と呼んでいる。東京の道玄坂を小綺麗に整頓したような街である。路の両側をぞろぞろ流れて通る人たちも、のんきそうで、そうして、どこかハイカラである。植木の露店には、もう躑躅が出ている。

デパアトに沿って右に曲折すると、柳町である。ここは、ひっそりしている。けれども両側の家々は、すべて黒ずんだ老舗である。甲府では、最も品格の高い街であろう。

「デパアトは、いまいそがしいでしょう。景気がいいのだそうですね。」

「とても、たいへんです。こないだも、一日仕入が早かったばかりに、三万円ちかく、もうけました。」

「永いこと、おつとめなのですか？」

「中学校を卒業して、すぐです。家がなくなったもので、皆に同情されて、父の知り合いの人たちのお世話もあって、あのデパアトの呉服部にはいることができたのです。皆さん親切です。妹も、一階につとめているのですよ。」

「偉いですね。」お世辞では、なかった。

「わがままで、だめです。」急に、大人ぶった思案ありげな口調で言ったので、私は、可笑しかった。

「いいえ、君だって、偉いさ。ちっとも、しょげないで。」

「やるだけのことを、やっているだけです。」少し肩を張って、そう言って、それから立ちどまった。「ここです。」

見ると、やはり黒ずんだ間口十間ほどもある古風の料亭である。

「よすぎる。たかいんじゃないか？」私の財布には、五円紙幣一枚と、それから小銭が二、三円あるだけだった。

「いいのです。かまいません。」幸吉さんは、へんに意気込んでいた。

「たかいぞ、きっと、この家は。」私は、どうも気がすすまないのである。大きい朱色の額に、きざみ込まれた望富閣という名前からして、ひどくものものしく、たかそうに思われた。

「僕も、はじめてなんですが、」幸吉さんも、少しひるんで、そう小声で告白して、それから、ちょっと考えて気を取り直し、「いいんだ。かまわない。ここでなくちゃいけないんだ。さ、はいりましょう。」

何か、わけがあるらしかった。

「大丈夫かなあ。」私は、幸吉にも、あまり金を使わせたくなかった。

「はじめっから計画していたんです。」幸吉は、きっぱりした語調で言って、それから自身の興奮に気づいて恥ずかしそうに、笑い出し、「今夜は、どこへでも、つき合うって、約束してくれたんじゃないですか。」

そう言われて、私も決心した。

「よし、はいろう。」たいへんな決意である。

その料亭にはいって、幸吉は、はじめてここへ来たひとのようでも無かった。

「表二階の八畳がいい。」

案内の女中に、そんなことを言っていた。

「やあ、階段もひろくしたんだね。」

なつかしそうに、きょろきょろ、あたりを見廻している。

「なんだ、はじめてでも、なさそうじゃないか。」私が小声でそう言うと、

「いいえ、はじめてなんです。」そう答えながら、「八畳は、暗くてだめかな？　十畳のほうは、あいていますか？」などと、女中にしきりに尋ねている。

表二階の十畳間にとおされた。いい座敷だ。欄間（らんま）も、壁も、襖（ふすま）も、古く、どっしりして、安（やす）普請（ぶしん）では無い。

「ここは、ちっとも、かわらんな。」幸吉は、私と卓を挟んで坐ってから、天井を見上げたり、ふりかえって欄間を眺めたり、そわそわしながら、そんなことを呟いて、「おや、床の間が少

し、ちがったかな？」

それから私の顔を、まっすぐに見て、にこにこ笑い、

「ここは、ね、僕の家だったのです。いつか、いちどは来てみたいと思っていたのですが。」

そう聞いて、私も急に興奮した。

「あ、そうか。どうりで家のつくりが、料理屋らしくないと思った。あ、そうか。」私も、あらためて部屋を見まわした。

「この部屋には、ね、店の品物が、たくさん積みこまれて、僕たちは、その反物(たんもの)で山をこさえたり、谷をこさえたりして、それに登って遊んだものです。ここは、こんなに日当りがいいでしょう？　だもんだから、母は、ちょうどあなたのお坐りになっていらっしゃるその辺に坐って、よく仕立物をしていました。十年もむかしのことですが、この部屋へ来てみると、やっぱし昔のことが、いちいちはっきり思い出されます。」静かに立って、おもて通りに面した、明るい障子を細くあけてみて、

「ああ、むかい側もおんなじだ。久留島さんだ。そのおとなりが、糸屋さん。そのまた隣が、秤(はか)り屋さん。ちっとも変っていないんだなあ。や、富士が見える。」私のほうを振りかえって、

「まっすぐに見える。ごらんなさい。昔とおんなじだ。」

私は、先刻から、たまらなかった。

「ね、かえろうよ。いけないよ。ここでは酒も呑めないよ。もうわかったから、かえりましょう。」不気嫌にさえなっていた。「わるい計画だったね。」

「いいえ、感傷なんか無いんです。」障子を閉めて、卓の傍へ来て横坐りに坐って、「もう、どうせ、他人の家です。でも、久しぶりに来て見ると、何でもかんでも珍らしく、僕は、うれしいのです。」嘘でなく、しんから楽しそうに微笑しているのである。

ちっとも、こだわっていないその態度に、私は唸るほど感心した。

「お酒、呑みますか？　僕は、ビイルだと少しは、呑めるのですけれど。」

「日本酒は、だめか？」私も、ここで呑むことに腹をきめた。

「好きじゃないんです。父は酒乱。」そう言って、可愛く笑った。

「私は酒乱じゃないけど、かなり好きなほうだ。それじゃ、私はお酒を呑むから、君はビイルにし給え。」今夜は、呑みあかしてもいい、と自身に許可を与えていた。

幸吉は女中を呼ぼうとして手を拍った。

「君、そこに呼鈴があるじゃないか。」

「あ、そうか。僕の家だったころには、こんなものなかった。」

ふたり、笑った。

その夜、私は、かなり酔った。しかも、意外にも悪く酔った。子守唄が、よくなかった。私は酔って唄をうたうなど、絶無のことなのであるが、その夜は、どうしたはずみか、ふと、里のおみやに何もろた、でんでん太鼓に、などと、でたらめに唄いだして、幸吉も低くそれに和したが、それがいけなかった。どしんと世界中の感傷を、ひとりで背負せられたような気がして、どうにも、たまらなかった。

「だけど、いいねえ。乳兄弟って、いいものだねえ。血のつながりというものは、少し濃すぎて、べとついて、かなわないところがあるけれど、乳兄弟ってのは、乳のつながりだ。爽やかでいいね。ああ、きょうはよかった。」そんなこと言って、なんとかして当面の切なさから逃れたいと努めてみるのだが、なにせ、どうも、乳母のつるが、毎日せっせと針仕事していた、その同じ箇所にあぐらかいて坐って、酒をのんでいるのでは、うまく酔えよう道理が無かった。ふと見ると、すぐ傍に、背中を丸くして縫いものしているつるが、ちゃんと坐って居るようで、とても、のんびり落ちついて幸吉と語れなかった。ひとりで、がぶがぶ酒のんで、そのうちに、幸吉を相手にして、矢鱈に難題を吹っかけた。弱い者いじめを、はじめたのである。

「ね、さっきも言うように、君は私に逢って、さぞや、がっかりなさったことでしょうねえ。いや、わかっている。弁解は、聞きたくない。私が大学の先生くらいになっていたら、君は、もっと早く、私の東京の家を捜し出して、そうして、君は、君の妹さんと二人で、私を訪ねて来た筈だ。いや、弁解は聞きたくないね。ところが私は、いま、これときまった家さえ無い、どうも自分ながら意気地のない作家だ。ちっとも有名でない。私には、青木大蔵という名前のほかに、もうひとつ、小説を書くときにだけ使っている、へんな名前がある。あるけれども、それは言わない。言ったって、どうせ君たちは、知りやしない。いちどだって、聞いたこともないような、へんな名前である。言うだけ、損だ。けれども、君、軽蔑しちゃいかんよ。世の中には、私たちみたいな種類の人間も、たしかに、必要なんだ。なくては、かなわぬ、重要な歯車の、一つだ。私は、それを信じている。だから、苦しくても、こうして頑張って生きている。死ぬもんか。自愛。人間これを忘れてはいかん。結局、たよるものは、この気持ひとつだ。いまに、私だって、偉くなるさ。なんだ、こんな家の一つや二つ。立派に買いもどしてみせる。しょげるな、しょげるな。「しょげちゃいけない。自愛。これを忘れてさえいなけれあ、大丈夫だ。」言いながら、やりきれなくなった。「しょげちゃいけない。いいか、君のお父さんと、それから、君のお母さんと、おふたりが力を合せて、この家を建設した。それから、運がわるく、また、この家を手放した。けれども、私が、もし君のお父さん、お母さんだったら、べつに、それを悲しまないね。子供が、二人とも、立派に成長して、よその人にも、うしろ指一本さされず、爽快(そうかい)に、その日その日を送って、こんなに嬉しいことないじゃないか。大勝利だ。ヴィクトリイだ。なんだい、こんな家の一つや二つ。恋着しちゃいけない。投げ捨てよ、過去の森。自愛だ。私がついている。泣くやつがあるか。」泣いているのは私であった。

それからは、めちゃめちゃだった。何を言ったか、どんなことをしたか、私は、ほとんど覚えていない。いちど御不浄に立った。幸吉が案内した。

「どこでも、知っていやがる。」

「母は、御不浄を一ばん綺麗にお掃除していました。」幸吉は笑いながら、そう答えた。

そのことと、もう一つ。酔いつぶれて、そのまま寝ころんでいると、枕もとで、

「萩野さんは、とても似ているというんだけど。」少女の声である。妹がやって来たんだなと思ったゆえ、私は寝ながら、

「そうだ、そうだ。幸吉さんは、私とは他人だ。血のつながりなんか、無いんだ。乳のつながりだけなんだ。似ていて、たまるか。」そう言って、わざと大きく寝がえり打って、「私みたいな酒呑みは、だめだ。」

「そんなことない。」無邪気な少女の、懸命な声である。「私たち、うれしいのよ。しっかり、やって下さい、ね。あんまり、お酒のんじゃいけない。」

きつい語調が、乳母のつるの語調に、そっくりだったので、私は薄目(うすめ)あけて枕もとの少女をそっと見上げた。きちんと坐っていた。私の顔をじっと見ていたので、私の酔眼と、ちらと視線が合って、少女は、微笑した。夢のように、美しかった。お嫁に行く、あの夜のつるに酷似(こくじ)していたのである。それまでの、けわしい泥酔(でいすい)が、涼しくほどけていって、私は、たいへん安

心して、そうして、また、眠ってしまったらしい。ずいぶん酔っていたのである。御不浄に立ったときのことと、それから、少女の微笑と、二つだけ、それだけは、あとになっても、はっきり思い出すことができるのだけれど、そのほかのことは、さっぱり覚えていないのである。半分、眠りながら、私は自動車に乗せられ、幸吉兄妹も、私の右と左に乗ったようだ。途中、ぎゃあぎゃあ怪しい鳥の鳴き声を聞いて、

「あれは、なんだ。」

「鷺（さぎ）です。」

そんな会話をしたのを、ぼんやり覚えている。山峡のまちに居るのだな、と酔っていながらも旅愁を感じた。

宿に送りとどけられ、幸吉兄妹に蒲団までひいてもらったのだろう。私は翌（あく）る日の正午ちかくまで、投げ捨てられた鱈（たら）のように、だらしなく眠った。

「郵便屋さんですよ。玄関まで。」宿の女中に、そう言われて起された。

「書留ですか？」私は、少し寝呆（ねぼ）けていた。

「いいえ、」女中も笑っていた。「ちょっと、お目にかかりたいんですって。」

やっと思い出した。きのう一日のことが、つぎつぎに思い出されて、それでも、なんだか、はじめから終りまで全部、夢のようで、どうしても、事実この世に起ったできごととは思われ

ず、鼻翼の油を手のひらで拭いとりながら、玄関に出てみた。きのうの郵便屋さんが立っている。やっぱり、可愛い顔をして、にこにこ笑いながら、

「や、まだおやすみだったのですね。ゆうべは、酔ったんですってね。なんとも、ありませんか？」ひどく、馴れ馴れしい口調である。

いや、なんともありません、と私は流石にてれくさく、嗄れた声で不気嫌に答えた。

「これ、幸吉さんの妹さんから。」百合の花束を差し出した。

「なんですか、それは。」私は、その三、四輪の白い花を、ぼんやり眺めて、そうして大きいあくびが出た。

「ゆうべ、あなたが、そう言ったそうじゃないですか。なんにも世話なんか、要らない。部屋に飾る花が一つあれば、それでたくさんだって。」

「そうかなあ。そんなこと言ったかなあ。」私は、とにかく花を受け取り、「いや、どうも、ありがとう。幸吉さんと、妹さんにも、そう言って下さい。ゆうべは、ほんとうに失礼しました。いつもは、あんなじゃないのですから、こわがらないで、どんどん宿へ遊びに来て下さいって。」

「でも、言っていましたよ。仕事の邪魔になるから、宿へ来るなって言われたので、そのうちお仕事がすんでから、みんなで御岳へ遊びに行くんだ、とそう言っていましたよ。」

「そうか。そんな、ばかなこと私が言ったのかねえ。仕事のほうは、どうにでも都合がつくのだから、御岳へでも、どこへでも、きっと一緒に行きます、とそう言って下さい。私は、いつでもいいんです。早いほどいいなあ。二、三日中に行きたいなあ。どうでも、そこは、あなたたちの都合のいいように、とそう言って下さい。私は、ほんとうに、いつでもいいのですからね。」むきになっていた。

「承知しました。僕も一緒に行くんです。これからも、よろしく。」へんな、どぎまぎした挨拶だったので、私は、郵便屋さんの顔を見直した。まっかになっている。

私は、ちょっと考えて、すぐわかった。この郵便屋さんと、あの少女とでは、きっと、つつましく、うまく行くだろうと思った。少し侘(わ)びしく、戸惑(とまど)いした私の感情も、すぐにその場で、きれいに整理できた。それは、それで、いいのだと思った。

百合の花は、何かあり合せの花瓶に活けて部屋に持って来るよう女中に言いつけて、私は、私の部屋へかえって机のまえに坐ってみた。いい仕事をしなければいけないと思った。いい弟と、いい妹の陰ながらの声援が、背中に涼しく感ぜられ、あいつらの為(ため)にだけでも、も少しどうにか、偉くなりたいものだと思った。ふと傍に眼を転ずると、私のゆうべ着て出た着物が、きちんと畳(たた)まれて枕もとに置かれて在る。私の新しい小さい妹が、ゆうべ私に脱がせて畳んでいって呉れたものに違いない。

それから二日目に、火事である。私は、まだ仕事で、起きていた。夜中の二時すぎに、けたたましく半鐘が鳴って、あまりにその打ちかたが烈しいので、私は立って硝子障子をあけて見た。炎々と燃えている。宿からは、よほど離れている。けれども、今夜は全くの無風なので、焔は思うさま伸び伸びと天に舞いあがり立ちのぼり、めらめら燃える焔のけはいが、ここまではっきり聞えるようで、ふるえるほどに壮観であった。ふと見ると、月夜で、富士がほのかに見えて、気のせいか、富士も焔に照らされて薄紅色になっている。四辺の山々の姿も、やはりなんだか汗ばんで、紅潮しているように見えるのである。甲府の火事は、沼の底の大焚火だ。ぼんやり眺めているうちに、柳町、先夜の望富閣を思い出した。近い。たしかにあの辺だ。私はすぐさま、どてらに羽織をひっかけ、毛糸の襟巻ぐるぐる首にまいて、表に飛び出した。甲府駅のまえまで、十五、六丁を一気に走ったら、もう、流石にぶったおれそうになった。電柱に抱きつくようにして寄りかかり、ぜいぜい咽喉を鳴らしながら一休みしていると、果して、私のまえをどんどん走ってゆく人たちは、口々に、柳町、望富閣、と叫び合っているのである。私は、かえって落ちついた。こんどは、ゆっくり歩いて、県庁のまえまで行くと、人々がお城へ行こう、お城へ行こうと囁き合っているのを聞いたので、なるほどお城にのぼったら、火事がはっきり、手にとるように見えるにちがいないと私もそれに気がついて、人々のあとについて行き、舞鶴城跡の石の段々を、多少ぶるぶる震えながらのぼっていって、やっと石垣の上の広場にたどりつき、見ると、すぐ真下に、火事が、轟々凄惨の音をたてて燃えていた。噴火口を見下す心地である。気のせいか、私の眉にさえ熱さを感じた。私は、たちまちがたがた震える。火事を見ると、どうしたわけか、こんなに全身がたがた震えるのが、私の幼少のころからの悪癖である。歯の根も合わぬ、というのは、まさしく的確の実感であった。

とんと肩をたたかれた。振りむくと、うしろに、幸吉兄妹が微笑して立っている。

「あ、焼けたね。」私は、舌がもつれて、はっきり、うまく言えなかった。

「ええ、焼ける家だったのですね。父も、母も、仕合せでしたね。」焔の光を受けて並んで立っている幸吉兄妹の姿は、どこか凛として美しかった。「あ、裏二階のほうにも火がまわっちゃったらしいな。全焼ですね。」幸吉は、ひとりでそう呟いて、微笑した。たしかに、単純に、「微笑」であった。つくづく私は、この十年来、感傷に焼けただれてしまっている私自身の腹綿の愚かさを、恥ずかしく思った。叡智を忘れた私のきょうまでの盲目の激情を、醜悪にさえ感じた。

けだものの咆哮の声が、間断なく聞える。

「なんだろう。」私は先刻から不審であった。

「すぐ裏に、公園の動物園があるのよ。」妹が教えてくれた。「ライオンなんか、逃げ出しちゃたいへんね。」くったく無く笑っている。

君たちは、幸福だ。大勝利だ。そうして、もっと、もっと仕合せになれる。私は大きく腕組みして、それでも、やはりぶるぶる震えながら、こっそり力こぶいれていたのである。

# 市井喧争

九月のはじめ、甲府からこの三鷹(みたか)へ引越し、四日目の昼ごろ、百姓風俗の変な女が来て、この近所の百姓ですと嘘(うそ)をついて、むりやり薔薇(ばら)を七本、押売りして、私は、贋物(にせもの)だということは、わかっていたが、私自身の卑屈な弱さから、断り切れず四円まきあげられ、あとでたいへん不愉快な思いをしたのであるが、それから、ひとつき経って十月のはじめ、私は、そのときの贋百姓の有様を小説に書いて、文章に手を入れていたら、ひょっこり庭へ、ごめん下さいまし、私は、このさきの温室から来ましたが、何か草花の球根でも、と言い、四十くらいの男が、おどおど縁先で笑っている。こないだの贋百姓とは、ちがう人であるが同じたぐいのものであろうと思い、だめですよ、このあいだも薔薇を八本植えられてしまいました、と私は余裕のある笑顔でもって言ったら、その男は、少し顔が蒼(あお)くなり、

「なんですか。植えられてしまった、とはどんなことですか。」と急に居直って、私にからん

で来たのである。

　私は恐ろしく、からだが、わくわく震えた。落ちつきを見せるために、机に頬杖をつき、笑いを無理に浮べて、

「いいえ、ね、その庭の隅に、薔薇が植えられて在るでしょう？　それが、だまされて買ったんです。」

「私と、どんな関係があるんですか？　おかしなことを言うじゃないですか。私の顔を見て、植えられたとは、おかしなことを言うじゃないですか。」

　私も、今は笑わず、

「君のことを言ってるんじゃないよ。先日私は、だまされて不愉快だから、そのことを言っているのですよ。君は、そんな、ものの言いかたをしちゃ、いけないよ。」

「へん。こごとを聞きに来たようなものだ。お互い、一対一じゃねえか。五厘でも、一銭でも、もうけさせてもらったら、私は商人だ。どんなにでも、へえへえしてあげるが、そうでもなけれあ、何もお前さんに、こごとを聞かされるようなことは、ねえんだ。」

「それあ、理窟だ。そんなら、僕だって理窟を言うが、君は、僕を訪ねて来たんじゃないか。」

誰に断って、のこのこ、ひとの庭先なんかへ、やって来たんだ、と言おうと思ったが、あんまりそれは、あさましい理窟で、言うのを止めた。

「訪ねたから、それがどうしました。」商人は、私が言い澱んでいるので、つけこんで来た。「私だって、一家のあるじだ。こごとなんて、聞きたくないや。だまされたなんて言うけれど、こうして植えて、たのしんでいるじゃないですか。」図星であった。私は、敗色が濃かった。「それあ、たのしんでいる。僕は、四円もとられたんだぜ。」

「安いもんじゃないですか。」言下に反撥して来る。闘志満々である。「カフェへ行って酒を呑むことを考えなさい。」失敬なことまで口走る。

「カフェなんかへは行かないよ。行きたくても、行けないんだ。四円なんて、僕には、おそろしく痛かったんですよ。」実相をぶちまけるより他は無い。

「痛かったかどうか、こっちの知ったことじゃないんです。」商人は、いよいよ勢を得て、へへんと私を嘲笑した。「そんなに痛かったら、あっさり白状して断れば、よかったんだ。」

「それが僕の弱さだ。断れなかったんだ。」

「そんなに弱くて、どうしますか。」いよいよ私を軽蔑する。「男一匹、そんなに弱くてよくこの世の中に生きて行けますね。」生意気なやつである。

「僕も、そう思うんだ。だから、これからは、要らないときには、はっきり要らないと断ろうと覚悟していたのだ。そこへ、君が来たというわけなんだ。」

「はははは、」商人は、それを聞いてひどく笑った。「そういうわけですか。なるほどねえ。」

とやはり、いや味な語調である。「わかりました。おいとましましょう。こごとを聞きに来たんじゃないんだからなあ。一対一だ。そっくりかえっていることは無いんだ。」捨てぜりふを残して立ち去った。私はひそかに、ほっとした。

ふたたび、先日の贋百姓の描写に、あれこれと加筆して行きながら、私は、市井(しせい)に住むことの、むずかしさを考えた。

隣部屋で縫物をしていた妻が、あとで出て来て、私の応対の仕方の拙劣(せつれつ)を笑い、商人には、うんと金のある振りを見せなければ、すぐ、あんなにばかにするものだ、四円が痛かったなど、下品なことは、これから、おっしゃらないように、と言った。

# 俗天使

晩ごはんを食べていて、そのうちに、私は箸と茶碗を持ったまま、ぼんやり動かなくなってしまって、家の者が、どうなさったの、と聞くから、私は、あ、厭きちゃったんだ、ごはんを、たべるのが厭きちゃったんだ、とそう言って、そのことばかりでは無く、ほかにも考えていたことがあって、それゆえ、ごはんもたべたくなくなって、ぼんやりしてしまったのであるが、けれども、それを家の者に言うのは、めんどうくさいので、もうこのまま、ごはんを残すから、いいかね、と言ったら、家の者は、かまいません、と答えた。傍にミケランジェロの「最後の審判」の大きな写真版をひろげて、それればかりを見つめながら箸を動かしていたのであるが、図の中央に王子のような、すこやかな青春のキリストが全裸の姿で、下界の動乱の亡者たちに何かを投げつけるような、おおらかな身振りをしていて、若い小さい処女のままの清楚の母は、その美しく勇敢な全裸の御子に初い初いしく寄り添い、御子への心からの信頼に、うつむいて、ひっそりしずまり、幽かにもの思いつつ在る様が、私の貧しい食事を、とうとう中絶させてしまった。よく見ると、そのようにおおらかな、まるで桃太郎のように玲瓏なキリストのからだの、その腹部に、その振り挙げた手の甲に、足に、まっくろい大きい傷口が、ありありと、むざんに描かれて在る。わかる人だけには、わかるであろう。私は、堪えがたい思いであった。また、この母は、なんと佳いのだ。私は、幼時、金太郎よりも、金太郎とふたりで山にかくれて住んでいる若く美しい、あの山姥のほうに、心をひかれた。また、馬に乗ったジャンダアクを忘れかねた。青春のころのナイチンゲールの写真にも、こがれた。けれども、いま、眼のまえに在るこの若い、処女のままの母を見ると、てんで比較にも何も、なりやしない。この母は、怜悧の小さい下婢にも似ている。清潔で、少し冷たい看護婦にも似ている。けれども、そんなんじゃない。軽々しく、形容してはいけない。看護婦だなんて、ばかばかしいことである。これは、やはり絶対に、触れてはならぬもののような気がする。誰にも見せず、永遠にしまって置きたい思いである。「聖母子」私は、其の実相を、いまやっと知らされた。たしかに、無上のものである。ダヴィンチは、ばかな一こくの辛酸を嘗めて、ジョコンダを完成させたが、むざん、神品ではなかった。神と争った罰である。魔品が、できちゃった。ミケランジェロは、卑屈な泣きべその努力で、無智ではあったが、神の存在を触知し得た。どちらが、よけい苦しかったか、私は知らない。けれども、ミケランジェロの、こんな作品には、どこかしら神の助力が感じられてならぬのだ、人の作品でないところが在るのだ。ミケランジェロ自身も、おのれの作品の不思議な素直さを知るまい。ミケランジェロは、劣等生であるから、神が助けて描いてやったのである。これは、ミケランジェロの作品では無い。

そんな、いいものを見て、私は食事を中止し、きょときょと部屋を見廻した。家の者が、うつむいて、ごはんをたべている。私は、「最後の審判」の写真版を畳んで、つぎの部屋へ引き上げ、机に向った。おそろしく自信が無いのである。何も書きたくなくなった。私はこの雑誌「新潮」に、明後日までに二十枚の短篇を送らなければならぬので、今夜これから仕事にとりかかろうと思っていたのだが、私は、いまは、まるで腑抜けになってしまっている。腹案は、すでにちゃんとできていて、末尾の言葉さえ準備していた。六年まえの初秋に、百円持って友人三人を誘って湯河原温泉に遊びに行き、そうして私たち四人は、それぞれ殺し合うほどの喧嘩をしたり、泣いたり、笑って仲直りしたときのことを書くつもりであったのだが、いやになった。なんということも無い、謂わば、れいの如き作品である。可もなく、不可もない「スケッチ」というものであろうか。あれを、見なければよかったのだ。「聖母子」に、気がつかなければ、よかったのだ。私は、しゃあしゃあと書けたであろう。

さっきから、煙草ばかり吸っている。

「わたしは、鳥ではありませぬ。また、けものでもありませぬ。」幼い子供たちが、いつか、あわれな節をつけて、野原で歌っていた。私は家で寝ころんで聞いていたが、ふいと涙が湧いて出たので、起きあがり家の者に聞いた。あれは、なんだ、なんの歌だ。家の者は笑って答えた。蝙蝠の歌でしょう。鳥獣合戦のときの唱歌でしょう。「そうかね。ひどい歌だね。」「そうでしょうか。」と何も知らずに笑っている。

その歌が、いま思い出された。私は、弱行の男である。私は、御機嫌買いである。私は、鳥でもない。けものでもない。そうして、人でもない。きょうは、十一月十三日である。四年まえのこの日に、私は或る不吉な病院から出ることを許された。きょうのように、こんなに寒い日ではなかった。秋晴れの日で、病院の庭には、未だコスモスが咲き残っていた。あのころの事は、これから五、六年経って、もすこし落ちつけるようになったら、たんねんに、ゆっくり書いてみるつもりである。「人間失格」という題にするつもりである。

あと、もう書きたくなくなった。けれども、私は書かなければならぬ。「新潮」のNさんには、これまでも、いろいろと迷惑をお掛けしている。やぶれかぶれで、こんな言葉が、ふいと浮んだ。「私にも、陋巷の聖母があった。」

もとより、痩意地の言葉である。地上の、どんな女性を描いてみても、あのミケランジェロの聖母とは、似ても似つかぬ。青鷺と、ひきがえるくらいの差がある。たとえば、私が荻窪の下宿にいたとき、近くの支那そばやへ、よく行ったものであるが、或る晩、私が黙って支那そばをたべていると、そこの小さい女中が、エプロンの下から、こっそり鶏卵を出して、かちと割って私のたべかけているおそばの上に、ぽとりと落してくれた。私は、みじめな気がして、顔を挙げることが、できなかった。それからは、なるべく、そのおそばやに、行かないことにした。実に、恥ずかしい記憶である。

また私が、五年まえに盲腸を病んで腹膜へも膿(うみ)がひろがり、手術が少しややこしく、その折に用いた薬品が癖になって、中毒症状を起してしまい、それをなおそうと思って、水上(みなかみ)温泉に行き、二、三日は神に祈ってがまんをしたが、苦しさに堪え切れず、水上町の小さい病院に駈け込んで老医師に事情を打ち明け、薬品を一回分だけ、わけてもらったことがある。帰りしなに、丸顔の看護婦さんが、にこにこ笑って、こっそり、もう一回分だけ、薬を手渡してくれた。私は、そのぶんだけのお金を更に支払おうとしたら、看護婦さんは、だまってかぶりを振った。私は早く病気をなおしたいと思った。

水上でも、病気をなおすことができず、私は、夏のおわり、水上の宿を引きあげた。宿を出て、バスに乗り、振り向くと、娘さんが、少し笑って私を見送り急にぐしゃと泣いた。娘さんは、隣りの宿屋に、病身らしい小学校二、三年生くらいの弟と一緒に湯治(とうじ)しているのである。私の部屋の窓から、その隣りの宿の、娘さんの部屋が見えて、お互い朝夕、顔を見合せていたのであるが、どっちも挨拶したことは無し、知らん振りであった。当時、私は朝から晩まで、借銭申し込みの手紙ばかり書いていた。いまだって、私はちっとも正直では無いが、あのころは半狂乱で、かなしい一時のがれの嘘ばかり言い散らしていた。呼吸して生きていることに疲れて、窓から顔を出すと、隣りの宿の娘さんは、部屋のカアテンを颯っと癇癖らしく閉めて、私の視線を切断することさえあった。バスに乗って、ふりむくと、娘さんは隣りの宿の門口に首筋ちぢめて立っていたが、そのときはじめて私に笑いかけ、そのまま泣いた。だんだんお客たち、帰ってしまう。という抽象的な悲しみに、急激に襲われたためだと思う。特に私を選んで泣いたのでは無いと、わかっていながら、それでも、強く私は胸を突かれた。も少し、親しくして置けばよかったと思った。

これだけのことでも、やはり、「のろけ」という事になるのであろうか。こんなことが、私ののとって置きの「のろけ」だとしたなら、私は、ずいぶんみじめな、あわれな、野郎にちがいない。みじんも「のろけ」のつもりでは無いのだ。支那そばやの女中さんから、鶏卵一個を恵まれたからとて、それが、なんの手柄になることか。私は、自身の恥辱を告白しているだけである。私は自身の容貌の可笑しさも知っている。小さい時から、醜い醜いと言われて育った。不親切で、気がきかない。それに、下品にがぶがぶ大酒を呑む。女に、好かれる筈は無いのである。私には、それをまた、少し自慢にしているようなところも在るのである。私は、女には好かれたくは無いと思っている。あながち、やけくそからでも無いのである。ぶんを知っているのである。好かれるほどの価値が無いと自覚している人が、何かの拍子で好かれたなら、ただ、狼狽、自身みじめな思いをするだけのことでは無いかと思われる。私が、こんなことを言っても、ほんとうにしない人があるかも知れないけれど、ばかめ！　おまえみたいな下劣な穿鑿好きがいるから、私まで、むきになって、こんな無智な愚かな弁明を、まじめな顔して言わなければならなくなるのだ。人の話は、だまって聞いているがよい。私は、嘘をついているのでは無いから。

恥辱を告白している、とまえに言った。けれども、それは少し言葉が足りなかった。「恥辱を告白することに、わずかな誇りを持ちたくて、書いているのだ。」と言い直したほうが、やや適切ではなかろうか。みじめの心境であるが、いたしかたが無い。私は女に好かれることは無いのであるから、ときたまのわずかな、女の好意でも、そのときは恥辱にさえ思っていたのであったが、いまは、その記憶だけでも大事にしなければならぬのではないか、という頗るぱっとしない卑屈な反省に依って、私は、それらの貧しい女性たちに、「陋巷のマリヤ」という冠を、多少閉口しながら、やぶれかぶれで捧げている現状なのである。かのミケランジェロのマリヤが、この様を見下して、怒り給うこと無く、微笑してくれたら、さいわいである。

私は、肉親以外の女の人からは、金銭を貰ったことは、いちども無いが、十年まえに、或る種類のめいわくを掛けたことがある。十年まえと言えば、二十一である。銀座のバアへはいったのであるが、私の財布には五円紙幣一枚と、電車切符しか無かった。大阪言葉の女給である。上品な人である。私は、その人に五円しか無いことを言って、なるべくお酒をゆっくり持って来てくれるように、まじめにたのんだ。女の人も笑わずに、承知してくれた。一本呑むと酔って来て、つぎの一本を大至急たのんだ。女の人は、さからわず、はいはいと言って持って来た。ずいぶん呑んでしまった。お勘定は、十三円あまりであった。いまでも、その金高は、ちゃんと覚えている。私が、もそもそしたら、女の人は、ええわ、ええわ、と言って私の背中をぐんぐん押して外へ出してしまった。それっきりであった。私の態度がよかったからであろうと思い、私は、それ以上の浮いた気持は感じなかった。二、三年、あるいは四、五年、そこは、はっきりしないけれども、とにかく、よっぽど後になって、ふらとそのバアへ立ち寄ったことがある。南無三、あの女給が、まだいたのである。やはり上品に、立ち働いていた。私のテエブルにも、つい寄って、にこにこ笑いながら、どなただったかなあ、忘れたなあ、と言い、そのまま他のテエブルのほうへ行ってしまった。私は卑屈で、しかも吝嗇であるから、こちらから名乗ってお礼を言う勇気もなく、お酒を一本呑んで、さっさと引き上げた。

もう、種が無くなった。あとは、捏造するばかりである。何も、もう、思い出が無いのである。語ろうとすれば、捏造するより他はない。だんだん、みじめになって来る。

ひとつ、手紙でも書いて見よう。

「おじさん。サビガリさん。サビシガリさんでも無ければ、サムガリさんでも無いの。サビガリさんが、よく似合う。いつも、小説ばっかり書いているおじさん。けさほどは、お葉書ありがとう。ちょうど朝御飯のとき着きましたので、みんなに読んであげました。そんなに毎日毎日チクチク小説ばっかり書いてらしたら、からだを悪くする。ぜひ、スポオツをなさいます様おすすめ致します。おじさんの様に、いつもドテラ着て家に居る人間には、どうしても運動の明るさと、元気を必要としますから。きょうも、またおじさんを、うんと笑わせてあげます。これから書くことは、もっとおしまいに書くつもりでしたけれど、早くお知らせしたく我慢できなくなっちゃったから、書くわ。いったい、なんでしょう？　何しろ、きょう買って貰ったものですからね。私たちムスメが、それを身につけると、たまらなく海の見える砂丘に立ってみたくなるものです。旅行がしたくなって、たまらなくなるものです。きょう、銀座のローヤルで見つけて、かえりにすぐ身につけて来ましたの。私、歩くのが嬉しくって、楽しくって、自然に眼が足もとへいってしまうのです。もう、おわかりでしょう。靴なのよ。あたし、きょう、靴ばかり歩いているような気がしましたわ。みんなが私の靴を見つめているような、たいへんな、おごりの気持よ。つまらない？　おじさんは、なんでもつまらない、つまらないだから困るのです。私も、靴の話は、つまらなく思います。

それでは、何が、いいでしょう。きょう夕方、お母さんが『女生徒』を読みたいとおっしゃいました。私は、つい、『厭よ。』って断りました。そして、五分くらい経ってから、『お母さん意地悪ね。だけど、仕方がないわ。困ったわ。』なんて変なことばかり言って、あの本を書斎から持って来てあげましたの。今お母さん読んでいらっしゃるらしいのよ。かまわないわね。お母さんにわるいことなんか、ちっとも書かれてないんだし、それに、叔父さんだって、いつもお母さんを尊敬していらっしゃるのだから、大丈夫よ。お母さん、叔父さんをお叱りになること無いと思うわ。ただ、あたしが少し恥ずかしいの。どうしてだか、自分でもよくわかりませんわ。あたしは、このごろずっと、お母さんに変に恥ずかしがってばかりいるの。お母さんだけじゃない。みんなに。もっと、平気になりたいのですけれど。

つまらないわね、そんなこと。ふきとばせ、シャボン玉。きのうは、お寺さんと買い物にまいりました。お寺さんの買ったものは、白い便箋と、口紅と、（口紅は、お寺さんに、とてもよく合う色でした。）それから、時計の皮でした。あたしは、お金入れと、（とてもとても気に入ったお金いれよ。焦茶と赤の貝の模様です。だめかしら。あたし、趣味が低いのね。でも、口金の所と貝の口の所が、金色で細くいろどられて、捨てたものでもないの。あたしこれを買う時に、お金入れを顔に近づけてみましたの。そしたら、口金にあたしの顔が小さく丸く映っていて、なかなか可愛く見えました。ですから、これからあたしは、このお金いれを開ける時には、他の人がお金入れを開ける時とは、ちがった心構えをしなければならなくなりました。

開ける時には、必ずちらと映してみようと思っています。）それから口紅も買ったんだけれど、こんな話、やっぱり、つまらない？　どうしたのでしょうね。おじさんにも、わるいところがあるのよ。あたし、ときどき、そう思って淋しくなります。お酒は、しかたが無いけれども、煙草は、もすこしつつしんで下さい。ふつうじゃ無いわ。デカダンめ。

　こんどは、いいお話を聞かせてあげます。なんだか、みんな自信が無くなっちゃった。犬の話をしようと思ったんだけど、おじさんと私とでは、犬に就いての趣味は全然、反対なのだから、それを考えると、もう言いたくなくなりました。ジャピイ、可愛いのよ。いま散歩から帰って来たところらしく、窓の下で、ツウアアなんて、あくびの様な甘え声をたてています。あすは、火曜日。火曜日っていう字は、意地悪そうできらいです。

　ニュウスをお知らせしましょうね。

一、白蘭の和平調停を、英仏婉曲（えんきょく）に拒否す。

そもそもベルギイ皇帝レオポオル三世は、そのあとは、けさの新聞を読んで下さい。

二、廃船は意外わが贈物、浮ぶ『西太后の船。』

そもそも北京（ペキン）郊外万寿山々麓の昆明湖、その湖の西北隅、意外や竜が現われた。とし古く住む竜にして、というのは嘘。

おじさんが、いま牢へはいっているんだったら、いいな。そうすると私は、毎日、大得意で、ニュウスをお送りできるのだけれど。新聞を読むと、ちゃんと書いて在ることなのに、なぜみんな、あんなに得々と、欧洲の状勢は、なんて自分ひとり知っているような顔をしているのでしょう。可笑しいと思います。
三、ジャピイは、この二、三日あまり元気が無いのです。日中は、ずっとウツラウツラしています。このごろ、急に老けた顔つきになりました。もうきっと、おじいさんになってしまったのでしょうね。
四、サビガリ君は、白衣の兵隊さんにお辞儀をなさいますか？　あたしは、いつも『今度こそお辞儀をしましょう。』と決心しながら、どうしても、できませんでした。それが、此の間、上野の美術館に行く途中、向うから白衣の兵隊さんが歩いていらっしゃいました。あたし、こっそりあたりを見まわして、誰も居りませんでしたので、ここぞと、ちゃんとお辞儀をしましたの。そしたら、兵隊さんも、ていねいにお辞儀をして下さいました。あたしは、涙が出そうなくらい、うれしくって、足がピョンピョンはね上がって、とても歩きにくくなりました。ニュウスは、これでおしまい。
私は、このごろ、とても気取って居ります。おじさんが私のことを、上手に書いて下さって、私は、日本全国に知られているのですものね。あたしは、寂しいのよ。笑っては、いや。ほんとうよ。私は、だめな子かも知れません。朝、目がさめて、きょうこそは、しっかりした意志を持ちつづけて悔いなく暮そうと、誓ってお床から起き出すのですけど、朝御飯まで、とっても、もちません。それまでは、それはそれは、ひどい緊張で物事に当りますの。シャッチョコ張って、御不浄の戸を閉めるのにも気をつけて、口をきゅっと引きしめ、伏眼で廊下を歩き、郵便屋さんにもいい笑い声を使ってしとやかに応対するのですけれど、あたしは、やっぱり、だめなの。朝御飯のおいしそうな食卓を見ると、もうすっかりあの固い誓いが、ふっとんでしまっているのです。そして、ペチャペチャおしゃべりして、げびてまいります。ごはんも、たしなみなく大食いして、三杯目くらいに、やっと思い出して、『しまった！』と思います。そうなると、がっかりしてしまって、もうくだらない自分だけで安心してしまうのですの。それを毎日、くりかえしています。だめだわね。叔父さんは、このごろ何を読んでいらっしゃいますか。私は、ルソオの『懺悔録』を読んで居ります。先日、プラネタリウムを見て来ました。朝になる時と、日が暮れる時に、美しいワルツが聴えて来ました。おじさん、元気でいて下さい。」

だらだらと書いてみたが、あまり面白くなかったかも知れない。でも、いまのところ、せいぜいこんなところが、私の貧しいマリヤかも知れない。実在かどうかは、言うまでもない。作者は、いま、理由もなく不機嫌である。

# 女人訓戒

辰野隆先生の「仏蘭西文学の話」という本の中に次のような興味深い文章がある。

「千八百八十四年と云うのであるから、そんな古い事ではない。オオヴェルニュのクレエルモン・フェラン市にシブレェ博士と呼ぶ眼科の名医が居た。彼は独創的な研究によって人間の眼は獣類の眼と入れ替える事が容易で、且つ獣類の中でも豚の眼と兎の眼が最も人間の眼に近似している事を実験的に証明した。彼は或る盲目の女に此の破天荒の手術を試みたのである。接眼の材料は豚の目では語呂が悪いから兎の目と云う事にした。奇蹟が実現せられて、其の女は其の日から世界を杖で探る必要が無くなった。エディポス王の見捨てた光りの世を、彼女は兎の目で恢復する事が出来たのである。此の事件は余程世間を騒がせたと見えて、当時の新聞にも出たそうである。然しながら数日の後に其の接眼の縫目が化膿した為めに――恐らく手術の時に消毒が不完全だったのだろうと云う説が多数を占めている――彼女は再び盲目になって了ったそうである。当時親しく彼女を知っていた者が後に人に語って次のような事を云った。
――自分は二つの奇蹟を目撃した。第一は云う迄もなく伝説中の奇蹟と同じ意味に於ける奇蹟が、信仰に依(よ)らずして科学的実験に依って行われたと云う事である。然し之れは左迄(さまで)に驚く可(べ)き現象ではない。第二の奇蹟のほうが自分には更(さら)に珍であった。それは彼女に兎の目が宿っていた数日の間、彼女は猟夫を見ると必ず逃げ出したと云う現象である。」

以上が先生の文章なのであるが、こうして書き写してみると、なんだか、ところどころ先生のたくみな神秘捏造(ミステフィカシオン)も加味されて在るような気がせぬでもない。最も人間の眼に近似しているなどは、どうも、あまり痛快すぎる。けれども、とにかくこれは真面目な記事の形である。一応、そのままに信頼しなければ、先生に対して失礼である。私は全部を、そのままに信じることにしよう。この不思議な報告の中で、殊(こと)に重要な点は、その最後の一行(いちぎょう)に在る。彼女が猟夫を見ると必ず逃げ出した、という事実に就いて私は、いま考えてみたい。彼女の接眼の材料は、兎の目である。おそらくは病院にて飼養して在った家兎にちがいない。家兎は、猟夫を恐怖する筈(はず)はない。猟夫を、見たことさえないだろう。山中に住む野兎ならば、あるいは猟夫の油断ならざる所以(ゆえん)のものを知っていて、之を敬遠するのも亦(また)当然と考えられるのであるが、まさか博士は、わざわざ山中深くわけいり、野生の兎を汗だくで捕獲し、以て実験に供したわけでは無いと思う。病院にて飼養されて在った家兎にちがいない。未だかつて猟夫を見たことも無い、その兎の目が、なぜ急に、猟夫を識別し、之を恐怖するようになったか。ここに些少(さしょう)の問題が在る。

なに、答案は簡単である。猟夫を恐怖したのは、兎の目では無くして、その兎の目を保有していた彼女である。兎の目は何も知らない。けれども、兎の目を保有していた彼女は、猟夫の職業の性質を知っていた。兎の目を宿さぬ以前から、猟夫の残虐(ざんぎゃく)な性質に就いては聞いて知っていたのである。おそらくは、彼女の家の近所に、たくみな猟夫が住んでいてその猟夫は殊にも野兎捕獲の名人で、きょうは十四、きのうは十五匹、山からとって帰ったという話を、その猟夫自身からか或いは、その猟夫の細君からか聞いていたのでは無かろうかと思われる。すると、解決は、容易である。彼女は、家兎の目を宿して、この光る世界を見ることができ、それ自身の兎の目をこよなく大事にしたい心から、かねて聞き及ぶ猟夫という兎の敵を、憎しみ恐れ、ついには之をあらわに回避するほどになったのである。つまり、兎の目が彼女を兎にしたのでは無くして、彼女が、兎の目を愛するあまり、みずからすすんで、彼女の方から兎になってやったのである。女性には、このような肉体倒錯(とうさく)が非常にしばしば見受けられるようである。動物との肉体交流を平気で肯定しているのである。或る英学塾の女生徒が、Lという発音を正確に発音したいばかりに、タングシチュウを一週二回ずつの割合いで食べているという話も亦、この例である。西洋人がLという発音を、あんなに正確に、しかも容易にこなしているのは、大昔からの肉食のゆえである。牛の肉を食べるので、牛の細胞がいつしか人間に移殖され、牛のそれの如く舌がいくぶん長くなっているのである。それゆえ彼女もLの発音を正確に為す目的を以て、いま一週二回の割合いでタングシチュウを、もりもり食べているというのである。タングシチュウは、ご存じの如く、牛の舌のシチュウである。牛の脚の肉などよりは、直接、舌のほうに効目があろうという心意気らしい。驚くべきことは、このごろ、めきめき彼女の舌は長くなり、Lの発音も西洋人のそれとほとんど変らなくなったという現象である。これは、私も又聞で直接に、その勇敢な女生徒にお目にかかったことは無いのだから、いま諸君に報告するに当って、多少のはにかみを覚えるのであるが、けれども、私は之をあり得ることだと思っているのである。女性の細胞の同化力には、実に驚くべきものがあるからである。狐の襟巻をすると、急に嘘つきになるマダムがいた。ふだんは、実に謙遜なつつましい奥さんであるのだが、一旦、狐の襟巻を用い、外出すると、たちまち狡猾きわまる嘘つきに変化している。狐は、私が動物園で、つくづく観察したところに依っても、決して狡猾な悪性のものでは無かった。むしろ、内気な、つつましい動物である。狐が化けるなどは、狐にとって、とんでも無い冤罪であろうと思う。もし化け得るものならば何もあんな、せま苦しい檻の中で、みっともなくうろうろして暮している必要はない。とかげにでも化けてするりと檻から脱け出られる筈だ。それができないところを見ると、狐は化ける動物では無いのだ。買いかぶりも甚しい。そのマダムもまた、狐は人をだますものだと単純に盲信しているらしく、誰もたのみもせぬのに、襟巻を用いる度毎に、わざわざ嘘つきになって見せてくれる。御苦労なことである。狐がマダムを嘘つきにしているのでは無く、マダムのほうから、そのマダムの空想の狐にすすんで同化して見せているのである。この場合も、さきの盲目の女の話と酷似しているものがあると思う。その兎の目は、ちっとも猟夫を恐怖していないばかりか、どだい猟夫というものを見たことさえないのに、それを保有した女のほうで、わざわざ猟夫を恐怖する。狐が人をだますものでもないのに、その毛皮を保有したマダムが、わざわざ人をだます。その心理状態は、両女ほとんど同一である。前者は、実在の兎以上に、兎と化し、後者も亦、実在の狐以上に、狐に化して、そうして平気である。奇怪というべきである。女性の皮膚感触の過敏が、汎濫して収拾できぬ触覚が、このような二、三の事実からでも、はっきりと例証できるのである。或る映画女優は、色を白くする為に、烏賊のさしみを、せっせとたべているそうである。あくまで之を摂取すれば、烏賊の細胞が彼女の肉体の細胞と同化し、柔軟、透明の白色の肌を確保するに到るであろうという、愚かな迷信である。けれども、不愉快なことには、彼女は、その試みに成功したという風聞がある。もう、ここに到っては、なにがなんだかわからない。女性を、あわれと思うより致しかたがない。

なんにでもなれるのである。北方の灯台守の細君が、灯台に打ち当って死ぬ鷗の羽毛でもって、小さい白いチョッキを作り、貞淑な可愛い細君であったのに、そのチョッキを着物の下に着込んでから、急に落ち着きを失い、その性格に卑しい浮遊性を帯び、夫の同僚といまわしい関係を結び、ついには冬の一夜、灯台の頂上から、鳥の翼の如く両腕をひろげて岩を嚙む怒濤めがけて身を躍らせたという外国の物語があるけれども、この細君も、みずからすすんで、かなしい鷗の化身となってしまったのであろう。なんとも、悲惨のことである。日本でも、むかしから、猫が老婆に化けて、お家騒動を起す例が、二、三にとどまらず語り伝えられている。けれども、あれも亦、考えてみると、猫が老婆に化けたのでは無く老婆が狂って猫に化けてしまったのにちがいない。無慙の姿である。耳にちょっと触れると、ぴくっとその老婆の耳が、動くそうではないか。油揚を好み、鼠を食すというのもあながち、誇張では無いかも知れない。女性の細胞は、全く容易に、動物のそれに化することが、できるものなのである。話が、だんだん陰鬱になって、いやであるが、私はこのごろ人魚というものの、実在性に就いて深く考えているのである。人魚は、古来かならず女性である。男の人魚というものは、未だその出現のことを聞かない。かならず、女性に限るようである。ここに解決のヒントがある。私は、こうでは無いかと思う。一夜彼女が非常に巨大の無気味の魚を、たしなみを忘れて食い尽し、あとでなんだかその魚の姿が心に残る。女性の心に深く残るということは、すなわちそろそろ、肉体の細胞の変化がはじまっている証拠なのである。たちまち加速度を以て、胸焼きこげるほどに海辺を恋い、足袋はだしで家を飛び出しざぶざぶ海中へ突入する。脚にぶつぶつ鱗が生じて、からだをくねらせ二搔き、三搔き、かなしや、その身は奇しき人魚。そんな順序では無かろうかと思う。女は天性、その肉体の脂肪に依り、よく浮いて、水泳にたくみの物であるという。

教訓。「女性は、たしなみを忘れてはならぬ。」

# 春の盗賊

——わが獄中吟。

あまり期待してお読みになると、私は困るのである。これは、そんなに面白い物語で無いかも知れない。どろぼうに就いての物語には、違いないのだけれど、名の有る大どろぼうの生涯を書き記すわけでは無い。私一個の貧しい経験談に過ぎぬのである。まさか、私がどろぼうを働いたというのではない。私は五年まえに病気をして、そのとき、ほうぼうの友人たちに怪しい手紙を出してお金を借り、それが積り積って、二百円以上になって、私は五年後のいまでも、それをお返しすることができず、借りたお金を返さないのは、それは見事な詐欺なのであるが、友人たちは、私を訴えることを、ようせぬばかりか、路で逢っても、よう、からだは丈夫か、とかえって私をいたわるのである。返さなければならぬ！　いつも、忘れたことが無い。いま少し待っていて下さい。私は、きっと明朗に立ち直る。私は、もとから、自己弁解は、下手くそである。ことにも、私的な生活に就ての弁明を、このような作品の上で行うことは、これは明らかに邪道のように思われる。芸術作品は、芸術作品として、別個に大事に持扱わなければ、いけないようにも思われる。私は、或いは、かの物語至上主義者になりつつあるのかも知れない。私生活に就ての手落は、私生活の上で、実際に示すより他は無い。見ていて下さい。いまに私は、諸君と一点うしろ暗いところなく談笑できるほどの男になります。それは、いつわりの無い、白々しく興覚めするほどの、生真面目なお約束なのであるが、私が、いま、このような乱暴な告白を致したのは、私は、こんな借銭未済の罪こそ犯しているが、いまだかつて、どろぼうは、致したことが無いと言うことを確言したかったからに他ならない。どろぼうは、致したことが無い。ばかばかしく、こだわるようであるが、これにもまた、わけがあるのである。いったいに、私は誤解を受けている。めちゃ苦茶である。さすがに、言うにしのびない、ひどい形容詞を、五つも六つも、もらっている。これは、私が悪いのである。そんなひどい形容詞を、まっさきに案出して、それを私の王冠となして、得々としていたのは、誰でもない、私なのである。この私である。芸術の世界では、悪徳者ほど、はばをきかせているものだ、と誰がそんな口碑を教えたものか、たしかにそれを信じていた。高等学校のころには、頻に喧嘩の傷跡があり、蓬髪垢面、ぼろぼろの洋服を着て、乱酔放吟して大道を闊歩すれば、その男は英雄であり、the Almightyであり、成功者でさえあった。芸術の世界も、そんなものだと思っていた。お恥かしいことである。

私の悪徳は、みんな贋物だ。告白しなければ、なるまい。身振りだけである。まことは、小心翼々の、甘い弱い、そうして多少、頭の鈍い、酒でも飲まなければ、ろくろく人の顔も正視できない、謂わば、おどおどした劣った子である。こいつが、アレキサンダア・デュマの大ロマンスを読んで熱狂し、血相かえて書斎から飛び出し、友を選ばばダルタニアンと、絶叫して酒場に躍り込んだようなものなのだから、たまらない。めちゃめちゃである。まさしく、命からがらであった。

同じ失敗を二度繰りかえすやつは、ばかである。身のほど知らぬ倨傲である。こんどは私も用心した。鎧かぶとに身を固めた。二枚も三枚も、鎧を着た。固め過ぎた。動けなくなったのである。部屋から一歩も出なかった。癈人、と或る見舞客が、うっかり口を滑らしたのを聞いて、流石に、いやな気がした。

いまは、素裸にサンダル、かなり丈夫の楯を一つ持っている。私は、いまは、世評を警戒している。「私は嘗つて民衆に対してどんな罪を犯したろうか。けれども、いまでは、すっかり民衆の友でないと言われている。輿論に於いて人の誤解されやすいのには驚く。実に驚く。」と、ゲエテほどの男でも、かのエッケルマン氏につくづく、こぼしているではないか。また、私は幼少のころから、ゴオルドスミスという作家を、大いに好きで仕様がないのであるが、この作家は一生涯、たったひとりの人物だけを尊敬していた。ウェークフィルドの牧師である。

すなわち、ゴオルドスミス御自身の小説に現われて来る一人物である。そいつだけを尊敬していた。尊敬し切っていた。そいつは、全く、ほとほと、できた牧師である。私も、ひそかに敬慕している。その立派な、できた牧師でさえ、一日、馬市に自分の老いた愛馬を売りに行って、馬をいろいろな歩調で歩かせて商人たちに見せているうちに、商人たちから、くそみそに愛馬をけなされ、その数々の酷評に接しては、「私自身も、ついには、このあわれな動物に対して心から軽蔑を感ずるようになり、買い手がそばに寄って来ると恥かしいような気がした。」と告白し、「私はみんなの言うことをそっくりそのまま信じたのではないが、証人の数の多いことは、その言うところが正しいと推定せしむるに有力であることを思わざるを得なかった。聖グレゴリーも、善行について同様な意見であることを述べているようじゃ。」と、しみじみ気を腐らし、歎息をもらしている。ウェークフィルドの牧師ほどの高徳の人物でさえ、そうである。いわんや私のごとき、無徳無才の貧書生は、世評を決して無視できない筈である。無視どころか、世評のために生きていた。あわれ、わが歌、虚栄にはじまり喝采に終る。年少、功をあせった形である。どうも、自分の過去の失態を調子づいて罵るのは、いい図ではない。いやらしくないか。悔いあらための、いまは行いすました悟り顔、救世軍か何か。似ているぞ。また、叱られた供奴の、頭かきかき、なるほどねえ、考えれば考えるほど、こちとらの考え浅うござんした、えへっへっへ、と、なにちっとも考えてやしない、ただ主人への御機嫌買い。似ていないか、似ていないか、気にかかる。

似ていない。ちっとも、似ていない。全然、別種のものである。私は自身で行きづまるところまで実際に行ってみて、さんざ迷って、うんうん唸って、そうしてとぼとぼ引き返した。そうして、さらに重大のことは、私の謂わば行きづまりは、生活の上の行きづまりに過ぎなかったという一事である。断じて、作品の上の行きづまりではなかった。この五、六年間に発表し続けて来た数十篇の小説については、私はいまでも恥じていない。時折、自身のそれらの小説を、読みかえしてみることもある。自分ながら、よく書けて在る、と思うことだってあります。けれども、私は過去のその数十篇の小説のなかから、二、三、病中の手記を除かなければいけない。これは断じて、断じてという言葉を二度使ったわけであるが、断じて除外しよう。いま読みかえし、私自身にさえ、意味不明の箇所が、それらの作品には散見されるのである。意味不明の文章が散見されるということだけでも、私は大いに恥じなければいけない。これはたしかに、私にとって不名誉の作品である。

けれども、私が以前の数十篇の小説を相変らず支持しているからといって、私を甘いと思い込むのは、誤りである。私がこのごろ再び深く思案してみたところに依っても、私の作品鑑定眼とでもいうべきものは断じて、断じてという言葉を三度使ったわけであるが、断じていんちきではない。私は、何一つ取柄のない男であるが、文学だけは、好きである。三度の飯よりも、というのは、私にとって、あながち比喩ではない。事実、私は、いい作品ならば三度の飯を一度にしても、それに読みふけり、敢て苦痛を感じない。私は、そんな馬鹿である。そう自分に見極めがついたときに、私は世評というものを再び大事にしようという気が起った。以前は、私にとって、世評は生活の全部であり、それゆえに、おっかなくて、ことさらにそれに無関心を装い、それへの反撥で、かえって私は猛りたち、人が右と言えば、意味なく左に踏み迷い、そこにおのれの高さを誇示しようと努めたものだ。けれども今は、どんな人にでも、一対一だ。これは私の自信でもあり、謙遜でもある。どんな人にでも、負けてはならぬ。勝をゆずる、など、なんという思いあがった、そうして卑劣な精神であろう。ゆずるも、ゆずらぬもない。勝利などというものは、これはよほどの努力である。人は、もし、ほんとうに自身を虚しくして、近親の誰かつまらぬひとりでもよい、そこに暮しの上での責任を負わされ生きなければならぬ宿業に置かれて在るとしたならば、ひとは、みじんも余裕など持てる筈がないではないか。世評に対しては、ゲエテは、やはり善いことを教えている。私は、このごろ、ゲエテをこそ、わが師なりとして、もっぱら仰ぎ、学んでいる。ゲエテは、ずいぶん永生きをした。その点だけでも、クライスト、透谷よりは、たのもしく、学ぶところも多いような気がする。おのれの才能にも、学殖にも絶望した一人の貧しい作家は、いまは、すべてをあきらめて、せめて長寿に依って、なんとか補いをつけようと心ひそかに健康法を案じている様子である。「しかしなんといっても、」とゲエテは、エッケルマン氏に溜息ついて結論を申し渡すのである。「最後には、自己を制限し、孤立させることが、最大の術である。」

このゲエテの結論は、私にとって、私のような気の多い作家にとって、まことに頂門の一針であろう。あまりに数多い、あれもこれもの猟犬を、それは正に世界中のありとあらゆる種属の猟犬だったのかも知れない、その猟犬を引き連れて、意気揚々と狩猟に出たはよいが、わが家を数歩出るや、たちまち、その数百の猟犬は、てんでんばらばら、猟服美々しく着飾った若い主人は、みるみる困惑、と見るうちに、すってんころりん。当りまえのことである。それ以後は、私はこれら高価に買い求めた猟犬、一匹一匹、手離すことに努力した。私になつかぬ、けれども素晴らしい良種の猟犬をさえ、私は涙をのんで手離した。誰が手離したのか。もちろん私である。けれども世評、そいつが私に手離させた猟犬も二、三あったのである。

いったい、小説の中に、「私」と称する人物を登場させる時には、よほど慎重な心構えを必要とする。フィクションを、この国には、いっそうその傾向が強いのではないかと思われるのであるが、どこの国の人でも、昔から、それを作者の醜聞として信じ込み、上品ぶって非難、憫笑する悪癖がある。たしかに、これは悪癖である。私は、いまにして思い当る。プウシュキンほどの自由奔放の詩人でさえも、その「オネエギン」を物語るにあたり、この主人公は私でない、私は別の、全くつまらぬ男だ、オネエギンは私でない。そういうことを、それはくどいほどに断ってあり、またドストエフスキイほどの、永遠の愛を追うて暮した男でさえ、その作品の主人公には、ラスコオリニコフとか、ドミトリイとかいう名前を与えて、決して、「私」を出さない。たまに、「私」を出すことがあっても、それは凡庸な、おっとりした歯がゆいほどに善良な傍観者として、物語の外に全然オミットされるような性格として叙述されて在る。ドイルだって、あの名探偵の名前を、シャロック・ホオムズではなく、もっと真実感を肉薄させるために、「私」という名前にして発表したなら、あんな、なごやかな晩年を享受できたかどうか、疑わしい。

私小説を書く場合でさえ、作者は、たいてい自身を「いい子」にして書いて在る。「いい子」でない自叙伝的小説の主人公があったろうか。芥川龍之介も、そのような述懐を、何かの折に書き記して在ったように記憶する。私は事実そのような疑問にひっかかり、「私」という主人公を、一ばん性のわるい、悪魔的なものとして描出しようと試みた。へんに「いい子」になって、人々の同情をひくよりは、かえって潔よいことだと思っていた。それが、いけなかったのである。現世には、現世の限度というものが在るらしい。メリメ、ゴオゴリほどの男でも、その生存中には、それを敢えてしなかったし、後世の人こそ、あの小説の悪魔は、ゴオゴリ自身であるとか、メリメその人の残忍性であるとか評して、それはもう古典になれば、どちらでもかまわないことなのである。けれども、メリメにしろ、ゴオゴリにしろ、——また、いま、ふと頗る唐突に思い浮んだのであるが、シャトオブリアン、パスカルほどの大人物でも、――どのように、その時代の世評を顧慮し、人しれぬ悪戦苦闘をつづけたことか、私はそれに気がつき、涙ぐましくさえなるのだ。

つくづく思う。輿論を訂正するということは、これは並たいていの仕事ではない。私には、利用すべき地位もない、権力もない、お金もない、何も無い。ただ、ペン一本で、こうして考え考えしながら一字、一字、書いて、それを訂正して行こうとしているのだから、心許ない話である。げに、焼き滅ぼすは一瞬、建設は百年、である。私は、たしかに、いけなかったのだ。私は、生きながらの古典人になろうとしていた。なれるものだと思っていた。あさましく不埒である。きょうよりのちは、世評にも充分の注意を払い、聴くべきは大いに容れ、誤れるは、之を正す。

またしても、これは、私生活の上の話ではないか。おまえは、ついさっき、物語のなかに私生活の上の弁解を附加することは邪道であると明言したばかりのところでは無いか。矛盾しないか。矛盾していないのである。そろそろ小説の世界の中にはいって来ているのであるから、読者も、注意が肝要である。

立ち直る、ということは、さっきも言ったように、これは、容易のことではない。何故といって、私が、どろぼうの話をするに当って、これだけの、ことわり文句が必要であったのである。私は作品に於いてよりも、実生活に就いて、また、私の性格、体質に就いての悪評に於いて、破れかけたのであるから、いま、ひとつのフィクションを物語るにあたっても、これだけの用心が必要なのである。フィクションを、フィクションとして愛し得る人は、幸いである。けれども、世の中には、そんな気のきいた人ばかりも、いないのである。

私は、実はこの物語、自身お金に困って、どろぼうを致したときの体験談を、まことしやかに告白しようつもりでいた。それは、たしかに写実的にて、興深い一篇の物語になったであろう。私のフィクションには念がいりすぎて、いつでも人は、それは余程の人でも、あるいは？　などと疑い、私自身でさえ、あるいは？　などと不安になって来るくらいであって、そんなことから、私は今までにも、近親の信用をめちゃめちゃにして来ている。私などは、無実の罪で法廷に立たせられても、その罪に数十倍するくらいの、極刑に価いするくらいの罪状を、検事にせつかれて、止むなく告白するかも知れない。もとより無形の犯罪であるが、そのときの私の陳述が、あまりにも微に入り細をうがって、いかにも真に迫っているものだから、検事はそれにて罪状明白、証拠充分ということになって、私は、ばかを見るかも知れない。いままで、二十数年間、何もせずに無用の物語本ばかり耽読していた結果であろう。私は自身の、謂わば骨の髄にまで滲み込んでいるロマンチシズムを、ある程度まで、saveしなければならぬ。すべて、ものの限度を、知らなければいけない。多少、凡骨に化する必要が在る。何故ならば、くるしいことには、私は六十、七十まで生きのびて、老大家と言われるほどの男にならなければ、いけない状勢に立ちいたってしまっているのである。私はそれを、多くの人に約束した。あざむいては、ならぬ。いまでは私は、世話しなければならぬその義務の在る数人をさえ持っている。高尚の趣味を有する、極めて小人数の読者は、私の骨の固くなるのを、ひそかに惜しむにちがいない。それは、ありがとう。君は、いつでも優しかった。お達者で、いつまでもお達者で、暮していて下さい。けれども、私は、何もせず、このまま君に甘えては居られない。私は、だまっていては、私自身の明日の食糧にさえ困るのだ。ああ、私が、いますこし、お金持であったら！

　それやこれやで、私は、私自身、湖畔の或る古城に忍び入る戦慄（せんりつ）の悪徳物語を、断念せざるを得なくなった。その古城には、オフェリヤに似た美しい孤独の令嬢もいるのだけれど。いまは一切を語らぬ。いい気になって、れいの調子づいて、微にいり細をうがってどろぼうの体験談など語っていると、人は、どうせあいつのことだ、どろぼうくらいは、やったかも知れぬと、ひそひそ囁（ささや）き合って、私は、またまた、とんだ汚名を着せられるやも、はかり難い。それゆえ、このような物語は、私が、もう少し偉くなって、私の人格に対する世評があまり悪くなく、せめて私の現在の実生活そのままを言い伝えられるくらいの評判になったとき、そのときには私も、大胆に「私」という主人公を使って、どのような悪徳のモデルをも、お見せしよう。いまは、いけない。悲しいけれども、いけない。

次に物語る一篇も、これはフィクションである。私は、昨夜どろぼうに見舞われた。そうして、それは嘘であります。全部、嘘であります。そう断らなければならぬ私のばかばかしさ。ひとりで、くすくす笑っちゃった。

ゆうべは、おどろいたのである。笑いごとではない。実に驚いた。生れて、はじめて私はどろぼうに見舞われた。しかも、ばかなこと、私はそのどろぼうと、一問一答をさえ試みてしまったのである。大袈裟（おおげさ）に言えば、私たち二人さしむかいで、一夜をしみじみ語り明かしたのである。もとから私は、どろぼうという種属の人間に、馴れ親んでいるわけではない。冗談ではない。全く、生れて、はじめて、どろぼうという者を見たのである。火事は、中学校四年生のときに、はっきり一ぶしじゅうを見とどけたことがあるけれども、どろぼうは、はじめてなのである。火事は、あれも不思議なものである。私のお隣りの家が焼けているのだけれど、私は、どういうものか、ぼんやりして、二階の窓に頬杖ついて、うっとり見ていた。秋の終りの、朝のことである。手にとるようによく見える、というが、そのときには、実際、お隣りの家の燃えている軒と、私の頬杖ついている窓縁（まどべり）とは、二間と離れていず、やがてお隣りの軒先の柿の木にさえ火が燃え移って、柿の枯葉が、しゃあと涼しい音たてて燃えては黒くちりちり縮み、その燃えている柿の一枝が、私の居る二階の窓から、ほんとうに、ちょっと手を伸ばせば、折り取れるところに在って、それこそ咫尺（しせき）の間（かん）に於いて私は、火事を見ていたのである。軒が燃え出すまでの、焔（ほのお）の順序が面白かった。はじめ軒端（のきば）を伝って、ちょろちょろ、まるで鼠のように、青白い焔が走って、のこぎりの歯の形で、三角（さんかく）の小さい焔が一列に並んでぽっと、ガス灯が灯（とも）るように軒端に灯って、それから、ふっと消える。軒端の材木から、熱のためにガスが噴き出て、それに一先（ひとま）ず点火されるのであろう。また、ちょろちょろと、青白い焔が軒端を伝って伸びて、と思うと、ちちと縮まり焔の列が短かくなり、また、ちょろちょろと伸びる。行きつ、戻りつ、それを、五、六度、繰りかえしているうちに、ぼっという荒い音がして、軒が一時に燃え上る。こんどは、ほんとに燃えるのである。黒い煙と、パチパチという材木の爆（は）ぜる音。ほんものの悪性の焔が、ちろちろ顔を出す。かたまった血のような、色をしている。茶褐色である。棘（とげ）のある毒物の感じである。紅蓮（ぐれん）、というのは当っていない。もっと凝固して、濃い感じである。いかにも、兇暴の相である。とぐろを巻いて、しかも精悍（せいかん）な、ああ、それは蝮蛇（まむし）そっくりである。私の眉にさえ、刺されるような熱さを覚えた。火事は、異様の臭気がする。鰊（にしん）を焼くとき、あんな臭いがする。なまぐさい。所詮は、物質が燃え上るだけのことに違いないのだけれど、火事は、なんだか非科学的だ。椅子が燃え、柱が燃えるなど、ふだんは、なかなか想像できない。障子に揮発油をぶっかけて、マッチで点火したら、それは大いに燃えるだろうが、せいぜいそれくらいのところしか想像に浮んで来ないのであって、あんな、ふとい大黒柱が、めらめら燃え上るなど、不思議な気がする。火事は、精神的なものである。私は、宗教をさえ考える。宿業に依って炎上し、神の意志に依って烏有に帰する。人意にて、左右することの、かなわぬものである。そうして、盗難は、——これは火事と較べて、同じ災禍でありながら、あまり宗教的ではない。宗教的どころか、徹頭徹尾、人為的である。けれども、これにも何か不思議がある。人為の極度にも、何かしら神意が舞い下るような気がしないか。エッフェル鉄塔が夜と昼とでは、約七尺弱、高さに異変を生ずるなど、この類である。鉄は、熱に依って多少の伸縮があるものだけれども、それにしても、約七尺弱とは、伸縮が大袈裟すぎる。そこが、不思議である。神意、ということを考えないわけにいかない。私のこのたびの盗難にしても、たしかに数々の不思議があった。

だいいちには、あの怪しからぬ泥靴の夢を見たことである。実に不愉快な大きな泥靴の夢を見たのである。いまになって考えてみると、あれは夢のお告げ、というものであった。それは、たしかだ。私は、諸君に警報したい。泥靴の夢を見たならば、一週間以内に必ずどろぼうが見舞うものと覚悟をするがいい。私を信じなければ、いけない。げんに私が、その大泥靴の夢を見ながら、誰も私に警報して呉れぬものだから、どうにも、なんだか気にかかりながら、その夢の真意を解くことが出来ず愚図愚図まごついているうちに、とうとうどろぼうに見舞われてしまったではないか。まだ、ある。なんとも意味のわからぬ、ばかげた言葉が、理由もなくひょいと口をついて出たときには、注意しなければいけない。必ず、ちかいうちにどろぼうが見舞う。私の場合、「やって来たのは、ガスコン兵。」という、なんとも意味の知れない、不思議すぎて、ばからしい言葉が、全く思いがけず、ひょいと口をついて出たのである。それも、一度や、二度では無い。むやみ矢鱈に、場所をはばからず、ひょいひょいと発するのである。「やって来たのは、ガスコン兵。」ちっとも、なんとも、面白くない言葉である。どういう意味であるか、自分で考えてみても判明しない。私は、そのときも不安であった。いま考えてみると、たしかに胸騒ぎがしていた。虫の知らせ、というやつであろう。けれども、まさか、これが、どろぼう入来の前兆であるとは気がつかなかった。私はこれを、自身のありあまる教養の故であろうと、お恥かしい、そう思っていたのである。思い出す。チエホフの芝居にも、ひとりの気のきかない好人物が、「あわや、というまに熊は女を組み伏せたりき。あわや、というまに熊は女を組み伏せたりき。おや、これは、どういうわけだろう。きょうは、朝から、この言葉がふいと口をついて出て来て、仕様がない。あわや、というまに熊は女を組み伏せたりき、か。」などと、一向にぱっとしない、愚にもつかぬ文句を、それでも多少、得意になって、やはり自身の、ありあまる教養に満足しながら、やたらにその文句を連発してサロンを歩きまわって、サロンの他の客はひとしく、これには閉口するところが、在ったように記憶しているが、私は、いまだったら、観客席から、やにわに立ち上り大声あげて、その劇中の好人物に教えてやる。注意しろ！　おまえは一週間以内に、どろぼうに見舞われるぞ。

不幸なことには、私には、そのように親切に警告して呉れる特志家(とくしか)がなかった。私は、それを神の意志に依る前兆のあらわれとも気づかず、あさましい、多少、得意になって、ばかな文句を、繰り返し繰り返し、これは、プルタアクの英雄伝の中にあった文句であろう、どうも文学的教養がありあまって、ちょっと整理もつきかねるて、などと、ああ穴があれば、はいりたい、そう思って湧き上る胸の不安を、なだめすかしていたものだ。

いま考えてみると、その他にも、たくさんの不思議な前兆があった。ずいぶん猛烈のしゃっくりの発作に襲われた。私は鼻をつまんで、三度まわって、それから片手でコップの水を二拝して一息で飲む、というまじないを、再三再四、執拗(しつよう)に試みたが、だめであった。耳の孔(あな)が、しきりに痒(か)ゆい。これも怪しかった。何かしらの異変を思わせるほどに、痒ゆかった。その他にも、いろいろある。ふいと酒を飲みたくなる。トマトを庭へ植えようかと思う。家郷(かきょう)の母へ、御機嫌うかがいの手紙を書きたくなる。これら、突拍子ない衝動は、すべて、どろぼう入来の前兆と考えて、間違いないようだ。読者も、お気をつけるがよい。体験者の言は、必ず、信じなければいけない。

いよいよ、四月十七日。きのうである。この日は、悪い日だった。私は、その日、朝から、しゃっくりに悩まされていた。しゃっくりが二十四時間つづくと、人は、死ぬそうである。けれども、二十四時間つづくことは、めったにないそうである。だから、人は、しゃっくりでは、なかなか死なない。私は、朝の八時から、黄昏どきまで、十時間ほど、しゃっくりをつづけた。危いところであった。もう少しで死ぬところであった。黄昏どきになって、やっと、しゃっくりもおさまり、けろりとして机のまえに坐っていた。しゃっくりは、それが、おさまったとたんに、けろりとするものである。たったいままでの、あれほどの苦痛を、きれいさっぱり、それこそ、根こそぎに忘却してしまうものである。ああ、いまのしゃっくりは、ひどかったなど、そんな思い出さえ、みじんも浮ばず、心境が青空の如く澄んで一片の雲もなく、大昔から、自分はいちども、しゃっくりなんか、とんと覚えがなかったような落ちつき。私は机に向い、ふと家郷の母に十年振りのお機嫌伺いの手紙を、書きしたためようと、突拍子もない衝動を感じた。そのときである。パリパリという、幽かな音が、窓の外から聞えて来た。たしかに、雨傘をこっそり開く音である。日没の頃から、雨が冷たく降りはじめていたのである。誰か、外に立っているにちがいない。私は躊躇せずに窓をあけた。たそがれ、逢魔の時というのであろう、もやもや暗い。塀の上に、ぼんやり白いまるいものが見える。よく見ると、人の顔である。「やって来たのは、ガスコン兵。」口癖になっていた、あの無意味な、ばからしい言葉。そいつが、まるで突然、口をついて出てしまった。すると、その言葉が何か魔除けの呪文ででもあったかのように、塀の上の目鼻も判然としない杓文字に似た小さい顔が、すっと消えた。跡には、ゆすら梅が白く咲いていた。

私は、恐怖よりも、侮辱を感じた。ばかにしてやがる、と思った。本来の私ならば、ここに於いて、あの泥靴の不愉快きわまる夢をはじめ、相ついで私の一身上に起る数々の突飛の現象をも思い合せ、しかも、いま、この眼で奇怪の魔性のものを、たしかに見とどけてしまったからには、もはや、逡巡のときでは無い、さては此の家に何か異変の起るぞと、厳に家人をいましめ、家の戸じまり火の用心、警戒おさおさ、怠ることの無かったでもあろうに、かなしいかな、この日頃の私には、それだけの余裕さえ無かった。おのれの憤怒と絶望を、どうにか素直に書きあらわせた、と思ったとたん、世の中は、にやにや笑って私の額に、「救い難き白痴」としての焼印を、打とうとして手を挙げた。いけない！ 私は気づいて、もがき脱れた。危いところであった。打たれて、たまるか。私は、いまは、大事のからだである。真実、そのものを愛し、そのもののために主張してあげたい、その価値を有する弱い尊いものをさえ、私は、いまは見つけたような気がしている。私は、いまは、何よりも先ず、自身の言葉に、権威を持ちたい。何を言っても気ちがい扱いで、相手にされないのでは、私は、いっそ沈黙を守る。激情の果の、無表情。あの、微笑の、能面になりましょう。この世の中で、その発言に権威を持つためには、まず、つつましい一般市井人の家を営み、その日常生活の形式に於いて、無慾。人から、うしろ指一本さされない態の、意志に拠るチャッカリ性。あたりまえの、世間の戒律を、叡智に拠って厳守し、そうして、そのときこそは、見ていろ、殺人小説でも、それから、もっと恐ろしい小説を、論文を、思うがままに書きまくる。痛快だ。鷗外は、かしこいな。ちゃんとそいつを、知らぬふりして実行していた。私は、あの半分でもよい、やってみたい。凡俗への復帰ではない。凡俗へのしんからの、圧倒的の復讐だ。ミイラ取りが、ミイラに成るのではないか？　よくあることだ。よせ、よせ。そんな声も聞えるが、けれども、何も私は冒険をするわけではないのである。鷗外なぞを持ち出したので、少し事が大袈裟に響くだけのことであって、これを具体的に言うならば、あまり世間の人に甘えるな、というだけのことなのである。「しかしなんといっても、」ゲエテが、しんみりそう教えたではないか。「自己を制限し、孤立させることが、最大の術である。」ミイラになる心配は、ないようだ。

すべては、自身の弱さから、――私は、そう重く、鈍く、自己肯定を与えているのであるが、――すべては弱さと、我執から、私は自身の家をみずから破った。ばらばらにしちゃった。外へ着て出る着物さえ無い始末である。これでは、いけない。ふんどし一つで、金言を吐いていたんじゃ、まるで何かみたいだ。しかも私には、その金言さえ、おぼつかない。あたりまえの発見を、人よりおそく、一つ一つ、たんねんに珍重し、かなしみ、喜び、歎息している有様である。のろいのである。近ごろ、また、めっきり、のろくなった。いまは、まず少しずつ生活を建て直し、つつましい市井人の家をつくる。それが第一だ。太宰も、かしこいな。何を言ったって、人から相手にされないのでは、仕様がないからね。私は、もともと、そんなに嘘つきじゃないんだ。権威を持ちたい。自身が、死んでから五年、十年あとあとの責任まで持って、懸命に考え考えしながら書き綴る文章の、ことごとく、あれは贋物、なるほど天才じゃなど、いい笑いものにされていて、それで、くやしくないのか。堂々、太刀打ちするには、言葉だけでは、だめなんだ。手紙だけでは、だめなんだ。私は、いまは、その興覚めの世のからくりを知った。芸術界も、やっぱり同じ生活競争であった。思考をやめよ！　負けては、ならぬ。どんぐりの背並べ。

一路、生活の、謂わば改善に努力して、昨今の私は、少し愚かしくさえなっている。行動は、つねに破綻の形式を執る。かならず一方に於いて、間抜けている。完璧は、静止の形として、発見されることが多い。それとも、目にとまらぬ早さで走るか、そのいずれかである。沈黙している作家の美しさ、おそろしさも、また、そこに在るのであるが、私は、いまは、そんなに色気を多くして居られない。まごまごしていると、あのむざんな焼印が、ぴったり額に押されてしまう。押されてしまったら、それなりけり。義務の在る数人を世話するどころか、私自身さえ行路病者だ。事態は、緊迫しています。もはや、かの肥満、醜貌の大バルザックになるより他は無い。ほんとうは、若いままで死にたいのだが、ああ、死にたいのだが、ままにならない。よろめき、つまずき、立ち上り、昨今、私はたいへんな姿である。そのような愚直の、謂わば盲進の状態に在るとき、私は、神の特別のみこころに依り、数々の予告を賜って、けれども、かなしいかな、その予告の真意を解くことができず、どろぼう襲来の直前まで、つい、うっかり、警戒を怠っていたということに就いては、寛大の読者は、これを哀れとこそ思え、決してとがめだてをせぬだろうと信じる。繰りかえして言うが、私は、決して家を粗末にしていたわけではないのである。家を愛している。文学のつぎに、愛している。けれども、何せれいの家の建て直しに、着て出る着物の調整に、やっさもっさ、心をくだき、あまりの向上心に、いきおい守るほうを失念してしまっていた。人間のアビリティの限度、いたしかたの無いものである。たしかに一方、抜けていた。まさしく破綻の形である。私は、そのような奇怪の、ほの白い人の顔の出没に接しても、ただ単に、屈辱を感じただけで、それ以上の深い詮索をしなかった。ほかに、あれこれ考えなければならぬ事が多く、そんな、黄昏の人の顔など、ものの数で無かった。ばかにしてやがる。そう呟いて、窓をぴたと閉め、それから難渋しながら、たわいない甘い物語を書き綴る。これが、私の天職である。物語を書き綴る以外には、能は無い。まるっきり、きれいさっぱり能がない。自分ながら感心している。ある時は仕官懸命の地をうらやみ、まさか仏籬祖室の扉の奥にはいろうとは、思わなかったけれど、教壇に立って生徒を叱る身振りにあこがれ、機関車あやつる火夫の姿に恍惚として、また、しさいらしく帳簿しらべる銀行員に清楚を感じ、医者の金鎖の重厚に圧倒され、いちどはひそかに高台にのぼり、憂国熱弁の練習をさえしてみたのだが、いまは、すべてをあきらめた。何をさせても、だめな男である。確認した。そうして、自分にも、あまり優れたものとは思われない、たわいない物語を書いている。夜の九時すぎまで、神妙に机のまえに坐り、仕事をつづけた。厭（あ）きて来た。うんざりして来た。ふっと酒を呑みたく思ったが一家の経済を思い、がまんをした。そうして、寝ることにした。このごろは、早寝早起を励行している。少しでも一般市民の生活態度にあゆみ寄りたい悲壮の心からである。早起のほうは、さほど苦痛でない。私は、老いの寝覚めをやるほうなので、夜明けが待ち遠しいことさえある。睡眠時間が、短いのである。からだのどこかが、老人になってしまっているのかも知れない。朝、寝床の中で愚図愚図していると、のた打つほど苦になることばかり、ぞろぞろ、しかも色あざやかに思い出されて来て、たまったものでない。それにこの部屋は、東側が全部すり硝子（ガラス）の窓なので、日の出とともに光が八畳間一ぱいに氾濫（はんらん）して、まぶしく、とても眠って居られない。私は、またそれをよいことにして、貧ゆえでなく、いや、それもあるが、わざと窓にカアテンを取り附けず、この朝日の直射を、私の豪華な目ざまし時計と誇称して、日光の氾濫と同時に跳ね起きる。早起は、このようにして、どうやら無事であるが、早寝には、閉口している。ここは田舎ゆえ、八時すぎると、しんとしている。時々、犬が月におびえて遠吠えするくらいのものである。朝ばかばかしく早く跳ね起きてしまうものであるから、夜の八時すぎになると、自（おのずか）ら、うんざりして来る。目ざめて、動いていることに厭きて来る。眠りたいと思う。何かと考えているのが、いやになる。眠って、とりとめのない夢を見たいと思うのである。夢を見ることだけが、たのしみである。朝早く起きて、能率は、ちっともあがらないのであるが、それでも遊ぶのが、こわくて、たいてい机のまえに坐って、一日中、勉強のふりをしているのである。まねごとだけでも、机にからだを縛りつけて、もそもそやっていると、夜までには、かなりからだも疲れている。へとへとのことさえ、あります。そんなに自信のあるからだでもないのだから、私は、そろそろ寝なければならぬ。寝る。けれども、すぐには眠れない。絶対に眠れない。からだが不快に、ほてって、頬の皮がつっぱって熱い。転輾する。くるしい。閉口し切って、ナンマンダ、ナンマンダ、と大声挙げて、百遍以上となえたこともある。そんなときに、たまらず起きて、ひやざけを茶碗で二杯、いや三杯も呑むことがある。模範的市民生活も、ここに於いて、少し怪しくなるのである。けれども誤解なさらぬよう。私は、そんな場合に、いささか乱暴な酒の呑みかたは致しますけれども、しかし、それだけのことである。酔って不埒の言行に及ぶことは、断じて無い。呑んで、だまってそのまま、直ぐにまた寝るのである。ぐるぐる酔いがまわって来ても、私は、蒲団の中で、じっとしている。そのうちに眠くなるのである。一先輩は、私のからだを憂慮して、酒をあまり用いぬように忠告した。私は、それに応えて、夜の不眠の苦痛を語った。そのとき、先輩は声をはげまし、

「なにを言うのだ。そんなときこそ、小説の筋を考える、絶好の機会じゃないか。もったいないと思わないか！」

私は、一言もなかった。ありがたい気がした。五臓に、しみたのである。それからは、努力した。ともすると鎌首もたげようとする私の不眠の悲鳴を叩き伏せ、叩き伏せ、お念仏一ついまは申さず、歯を食いしばって小説の筋を考え、そうして、もっぱら睡眠の到来を期待しているのである。それは、なかなかの苦しさであった。謂わば、私は、眠りと格闘していた。眠りと勝負を争っていた。長い細い触角でもって虚空を手さぐり、ほのかに、煙くらいの眠りでも捜し当てたからには、逃がすものか、ぎゅっとひっ捕えて、あわてて自分のふところを裁ち割り、無理矢理そのふところの傷口深く、睡眠の煙を詰め込んで、またも、ゆらゆら触角をうごかす。眠りは、ないか。もっと、もっと、深い眠りは無いか。あさましいまでに、私は、熟睡を渇望する。ああ、私は眠りを求める乞食である。

ゆうべも、私は、そうしていた。ええと、彼女は、いや彼氏は、横浜へ釣りをしに出かけた。横浜には、釣りをするようなところはない。いや、あるかも知れない。ハゼくらいは、いるかも知れない。軍艦が在る。満艦飾である。これを利用しなければ、いけない。ここに於いて多少、時局の色彩を加える。そうすると、人は、私を健康と呼ぶかも知れない。おうい、と呼ぶ。おうい、と答える。白いパラソル。桜の一枝。さらば、ふるさと。ざぶりと波の音。釣竿を折る。鷗が魚を盗みおった。メルシイ、マダム。おや、口笛が。――なんのことだか、わからない。まるで、出鱈目である。これが、小説の筋書である。朝になると、けろりと忘れている百千の筋書のうちの一つである。それからそれと私は、筋書を、いや、模様を、考える。あらわれては消え、あらわれては消え、ああ早く、眠くなればいいな。眼をつぶるとさまざまの花が、プランクトンが、バクテリヤが、稲妻が、くるくる眼蓋の裏で燃えている。トラホオムかも知れない。髪に用捨もなき事やといえば、吉三郎せつなく、わたくしは十六になりますといえば、お七わたくしも十六になりますといえば、吉三郎かさねて長老様がこわやという、おれも長老様はこわしという、西鶴あのころは、四十五歳か。一ばん、いいとしらしいな。「女形、四十にして娘を知る。」けさの新聞に、新派の女形のそんな述懐が出ていたっけ、四十、か。もすこしのがまんだ。――などと、だんだん小説の筋書から、離れていって、おしまいには、自身の借金の勘定なんか、はじまって、とても俗になった。眠るどころでは、無い。目が、冴えてしまった。二時間くらい、そうしていたろうか。蒲団の裾で、ガリガリ鼠の材木を嚙る音が、やかましい。もう、いまは眠るのを断念して、無理にそれまで固くつぶっていた眼を、ぱちとあけた。いまいましいから、ことさらに、ぱちと音のするほど強くあけてやったのである。部屋は、ぼんやり緑いろである。まっくらでも眠れず、明るければ、もちろん眠れず、私は緑いろの風呂敷でもって、電灯を覆っているのである。緑いろは、睡眠のために、いいようである。

この風呂敷は、路で拾ったものである。私は、八端の黒い風呂敷を持って、まちへ牛肉を買いに行き、歩きながら、いろいろ考えごとをしていて、ふと気がつくと、風呂敷が無い。落したのだ、と思ってしまって、すぐ引きかえし、あちこち見廻しながら歩いていると、よその小さい若いおかみさんが、風呂敷ですか、そこにありますよ、と笑いながら教えてくれた。見ると八百屋のまえに、緑いろのメリンスの風呂敷が落ちている。私のと、ちがうようにも思ったが、あるいは、これだったかも知れぬ、いや、これだろう、と思い、そのおかみさんの親切を無にするのも苦しく、お礼を言ってその風呂敷を拾い、それから牛肉屋へ行って買い物をすまし、家へかえってからも、なんだか不思議で、帯をほどいてみると、黒い風呂敷が、ばさりと落ちた。私は、一時、途方にくれた。拾って来た緑の風呂敷は、メリンスで、こまかい穴が二十も三十もあいている。謂わば、薄汚いものである。これをまた、八百屋のまえに捨てに行ってもいいが、再び、よそのおばさんに、あれ風呂敷おとしましたよ、と注意を受けたならば、私は、たちまちその親切を謝し、この穴だらけの風呂敷を拾って家へ帰らなければならぬ。むだなことである。私は、一時、この風呂敷を私の家にあずかって置くことにした。普通一般の、健康な市民でも、やはりこんな立場に在ったときには、私と同じ処置をとるにちがいない。私は、決して盗んだのではない。自分の風呂敷を、ふところ深く押し込みすぎて、それを忘れてしまって、落したものとばかり思い、きょろきょろ捜していたら、よそのおばさんが親切に、教えてくれて、私は、感謝してその風呂敷を拾い、家へ帰って調べてみたら、ちがっていた。それだけの話なのである。罪になるかしら。いいえ、私は決して、この緑の風呂敷を、自分のものだとは思っていない。返却したくても由(よし)なく、こうして一時、あずかって在るのである。どんな人の使用していたものか、わからない。思えば、きたないものである。私は、この緑の風呂敷を、電灯を覆うのに使用したわけは、けれども、その不潔の風呂敷の黴菌(ばいきん)を、電球の熱でもって消毒しよう、そうして消毒してから、ながくわが家のものとして使用しようなどの下心からではない。そんなことは無い。私には全くそんな悪心がないのだから、いつでもお返ししたいと思っているのだから、正々堂々、誰の眼にでも、とまるように、あかるみに出して置きたく、そんな気持もあって、電灯の覆いに使用したのである。それに、ちがいない。その上、緑色は睡眠のためにも、たいへんよろしいのであるから、願ったり、叶(かな)ったりというものである。その緑色の風呂敷で、覆われて在る電灯の光が、部屋をやわらかく湿(しめ)して、私の机も、火鉢も、インク瓶も、灰皿も、ひっそり休んでいて、私はそれらを、意地わるく冷淡に眺め渡して、へんに味気なく、煙草でも吸おうか、と蒲団に腹這いになりかけたら、また足もとで、ガリガリ鼠の材木を噛る音。ひょいと、そのほうに眼をやったら、もう、そのときは、おそかった。見よ。手。雨戸の端が小さく破られ、そこから、白い手が、女のような円い白い手が、すっと出て、ああ、雨戸の内桟(うちざん)を、はずそうと、まるでおいでおいでしているように、その手をゆるく泳がせている。どろぼう！　どろぼうである。どろぼうだ。いまは、疑う余地がない。私は、告白する。私は、気が遠くなりかけた。呼吸も、できぬくらいに、はっと一瞬おどろきの姿勢のままで、そのまま凝固し、定着してしまったのである。指一本うごかせない。棕櫚の葉の如く、両手の指を、ぱっとひろげたまま、活人形のように、ガラス玉の眼を一ぱいに見はったきり、そよとも動かぬ。極度の恐怖感は、たしかに、突風の如き情慾を巻き起させる。それに、ちがいない。恐怖感と、情慾とは、もともと姉妹の間柄であるらしい。どうも、そうらしい。私は、そいつにやられた。ふらふら立ち上って、雨戸に近寄り、矢庭にその手を、私の両手でひたと包み、しかも、心をこめて握りしめちゃった。つづいて、その手に頬ずりしたい夢中の衝動が巻き起って、流石に、それは制御した。握りしめて居るうちに、雨戸の外で、かぼそい、蚊の泣くようなあわれな声がして、

「おゆるし下さい。」

私は、突然、私の勝利を意識した。気がついてみると、私が、勝っていたのである。私は、どろぼうを手づかみにした。そう思ったら、それと同時に、くるくる眩暈がはじまって、何か自分が、おそろしい大豪傑にでもなってしまったかのような、たいへんな錯覚が生じたのである。読者にも、おぼえが無いか。私は自身の思わぬ手柄に、たしかに逆上せてしまったのである。

「さ、手を離してあげる。いま、雨戸をあけてあげますからね。」いったい、どんな気で、そ

んな変調子のことを言い出したものか、あとでいくら考えてみても、その理由は、判明しなかった。私は、そのときは、自分自身を落ちついている、と思っていた。確乎たる自信が、あって、もっともらしい顔をして、おごそかな声で、そう言ったつもりなのであるが、いま考えてみると、どうしても普通でない。謂わば、泰然と腰を抜かしている類かも知れなかった。

　雨戸をあけ、

「さ、はいりたまえ。」いよいよ、いけなかった。たしかに私は、あの、悠然と顚倒していた組に、ちがいなかった。江戸の小咄にも、あるではないか。富籤が当って、一家狂喜している様を、あるじ、あさましがり、何ほどのこともないさ、たかが千両、どれ銭湯へでも行って、のんびりして来ようか、と言い澄まして、銭湯の、湯槽にひたって、ふと気がつくと、足袋をはいていた。まさしく、私もその類であった。ほんとうに、それにちがいなかった。いい気になって、どろぼうを、自分からすすめて家にいれてしまった。

「金を出せえ。」どろぼうは、のっそり部屋へはいるとすぐに、たったいま泣き声出しておゆるし下さいと詫びたひととは全く別人のような、ばかばかしく荘重な声で、そう言った。おそろしく小さい男である。撫で肩で、それを自分でも内心、恥じているらしく、ことさらに肘を張り、肩をいからして見せるのだが、その気苦労もむなしく、すらりと女形のような優しい撫で肩は、電灯の緑いろを浴びて、まぎれもなかった。頸がひょろひょろ長く、植物のような感じで、ひ弱く、感冒除けの黒いマスクをして、灰色の大きすぎるハンチングを耳が隠れてしまっているほど、まぶかに被り、流石にその顔は伏せて、

「金を出せえ。」こんどは低く、呟くように、その興覚めの言葉を、いかにも自分ながら、ほとほとこれは気のきかない言葉だと自覚しているように、ぞんざいに言った。紺の印半纏を裏がえしに着ている。その下に、あずき色のちょっと上等なメリヤスのシャツ。私の変に逆上せている気のせいか、かれの胸が、としごろの娘のように、ふっくらふくらんでいるように見えた。カアキ色のズボン。赤い小さな素足に、板草履をはいているので私は、むっとした。

「君、失敬じゃないか。草履くらいは、脱ぎたまえ。」

どろぼうは素直に草履を脱ぎ、雨戸の外にぽんと放擲した。私は、そのすきに心得顔して、ぱちんと電灯消してしまった。それは、大いに気をきかせたつもりだったのである。

「さあ、電灯を消しました。これであなたも、充分、安心できるというものです。僕は、あなたの顔も、姿も、ちっとも見ていない。なんにも知らない。警察へとどけようにも、言いようがないのです。僕は、あなたの顔も、姿も、なんにも見ていないのだから。とどけたってむだでしょう。僕は、とどけないつもりですから、あなたも、そのつもりで充分、安心して下さいね。」けれども、この表面は蜜のように甘い私の言葉の裏には、悪辣老獪の下心が秘められていたのである。私は、そう言ってどろぼうを安心させることに依って受ける私のいろいろの利

益を計算していたのである。だいいちには、どろぼうをそんなに安心させて置けば、どろぼうの猛(たけ)り猛った気もゆるみ、かれは私に危害を加えるということが、万々(ばんばん)ないであろう。それから、後日、このどろぼうが再び悪事を試み、そのとき捕えられて、牢(ろう)へいれられても、私をうらむことはないであろう。私は、このどろぼうの風采に就(つ)いては、なんにも知らないということになっているのであるから、まさか、私がかれの訴人(そにん)の一人である、などということは、絶対に有り得ないのである。それに私は、警察にはとどけないつもりであります、とはっきり、かれに明言している。かれは、私を、うらみに思うわけは無い。実は、私、このどろぼうが他日、捕えられ、牢へいれられ、二、三年のちに牢から出たとき、そのときのことを心配していたのである。あいつのために、おれは牢へいれられたと、うらみ骨髄に徹(てつ)して、牢から出たとき、草の根をわけても、と私を捜しまわり、そうして私の陋屋(ろうおく)を、焼き払い、私たち一家のみなごろしを企てるかもわからない。よくあることだ。私は、そのときのことを懸念し、僕は、なんにも知らないよ、と素知らぬふりで一本、釘を打って置いたのである。また、私は、あと あと警察のひとが、私を取調べるときのことをも考慮にいれて置いたのである。私は、もちろん、今夜のこのできごとを、警察に訴え出るつもりは無い。新聞に出たりなどして、親戚友人などに、心配、軽蔑されるのは、私の好むところでは無いのである。訴え出ないで、だまっていることは、これは、法律に依って罰せられる罪悪かも知れない。けれども、どうにも、気が重い。私は口が下手だから、そんないかめしい役所へ出て、きっと、へどもどまごついて、とんちんかんのことばかり口走り、意味なく叱責されるであろう。そうして、私には何となく、挙動不審の影があらわれて、あらぬ疑いさえ被り、とんでもない大難が、この身にふりかかるかもわからない。きっと、そうだ。私は、何かにつけて、めぐり合せの悪い子なのだ。運のわるい男なのだ。私には、とても、警察にとどける勇気が無い。私は、このどろぼうの襲撃を、あくまで、深夜の客人が、つまらぬところから不意に入来した、という形にして置きたかった。そうして置けば、私は、それを警察にとどけなくても、すむのである。私は、あくまで、かれを客人のあつかいにしてやろうと思った。そんな深慮遠謀もあり、私は、ことさらに猫なで声でどろぼうを招じ入れ、そうして、かれがはいるなり、電灯をぱちんと消してしまった。他日、このどろぼうが、何か罪悪を重ねて、そのとき捕えられ、私の家を襲撃したことをも白状して、警察は、その白状にもとづいて、はじめて私に問い合せに来ても、そのときは、私は頭を掻き、さあ、何せまっくらで、それに夢見ごこちで、記憶が全く朦朧としている始末で、どうもお役に立たず、残念に思います、といって、大いに笑えば、警察のひとも、私の耄碌をあわれみ、ゆるしてくれるのではないか、と思う。重ね重ね、私がぱちんと電灯を消したということは、全く私の卑劣きわまる狡智から出発した仕草であって、寸毫も、どろぼうに対する思いやりからでは無かったのである。私は、どろぼうの他日の復讐をおそれ、私の顔を見覚えられることを警戒し、どろぼうのためで無く、私の顔をかくすために、電灯を消したといわれても、致しかた無いのである。まさに、それにちがいなかった。

「すみません。」どろぼうは、ばかなやつ、私のそれほどこまかい老獪の下心にも気づかず、私が電灯消したことに対して、しんからのお礼を言いやがった。

「雨が、まだ降っているかね?」

「いいえ、もう、やんだようです。」まるで、おとなしくなっている。

「こっちへ来たまえ。」私は、火鉢をまえにして坐って、火箸で火をかきまわし、「ここへ坐りたまえ。まだ、火がある。」

「え。」どろぼうは、きちんと膝をそろえてかしこまって坐った様子である。

「少し、火鉢から、はなれて坐っていたほうがいいかも知れないな。」私は、いい気持である。

「あまり、火の傍に寄ると、火のあかりで、君の顔が見える。僕は、まだ、君の顔を、なんにも見ていないのだからね。煙草も吸わないようにしましょうね。暗闇の中だと、煙草の火でも、ずいぶん明るいものだからね。」

「は。」どろぼうは、すこし感激している様子である。

私は、あまりの歓喜に、いよいよ逆上せて、もっともっと、私の非凡の人物であることを知らせてやりたくなっちゃって、よけいなことを言った。

「あ、十二時だ。」隣家の柱時計が、そのとき、ぼうん、ぼうん、鳴りはじめたのである。「時計は、あれは生き物だね。深夜の十二時を打つときは、はじめから、音がちがうね。厳粛な、ためいきに似た打ちかたをするんだ。生きものなんだね。最初の一つ、ぼうんと鳴ると、もうそれで、あとは数を指折って勘定してみなくても、十二時だってことが、ちゃんと、わかるような打ちかたをするね。草木も眠る、というでしょう？　家の軒が、三寸するするさがって、川の水がとまるといいますからね。不思議なもんさ。」

「十一時でした。」どろぼうは、指折って数えていたのである。そう低い声で言って、落ちついていた。

私は狼狽（ろうばい）して、話題をそらした。

「少し君は、早すぎたね。どろぼうは、たいてい、二時か三時に来るものです。そのころは、人間が、一ばん深く眠っているものなんだ。医学的には、ね。」少し、面目をとりかえした。調子に乗って、また、へんなことを言ってしまった。「どろぼうは、第一に、勘だね。これが、なくちゃいけない。君は、僕に、お金があると思っているのかね？　たとえば、この机のひき出しに、お金がいくらはいっているか。」はっと口をつぐんだ。自身の言いすぎに気がついたのである。私の机のひき出しの中には、二十円はいっているのである。これは四月末日までの、私たちの生活費の全部である。これを失えば、私は困るのである。ごはんをたべるぶんには、いま手許にお金が無くても、それは米屋、酒屋と話合った上で、どうにかやりくりして、そんなに困ることもあるまいけれど、煙草、郵便代、諸雑費、それに、湯銭、これらに、はたと当惑するのだ。私は、まだこの土地には、なじみが薄いし、また、よしんば、なじみの深い土地でも、煙草、切手は、現金ばらいで無ければいけないものだろう。それかといって、友人知己からお金を借りて歩くことは、もうもう、いやだ。死んだほうがいい。借銭のつらさは、骨のずいまで、しみている。死んでも、借金したくない。それゆえ私は、このごろ、とても、けちに、けちに暮している。友人と遊ぶときでも、敢然と、割勘を主張して、ひそかに軽蔑を買っている様子である。人と行楽を共にする場合でも、決して他人の切符までは、買ってあげない。自分ひとりの切符を、さっさと買ってすましている。下駄ひとつ買うのにも、ひとつきまえから、研究し、ほうぼうの飾窓を覗いてみて、値段の比較をして、それから眼をつぶって大決意を以って、下駄の購買を実行する。下駄のながもちする履きかたも、私は、ちゃんと知っている。路を行くときは、きわめてゆっくり歩く。それは、着物の裾まわしのすり切れないよう、用心している形なのである。人は、私の守銭奴ぶりに、呆れて、憫笑をもらしているかも知れないけれど、私は、ちっとも恥じていない。私は、無理をしたくないのだ。このごろは、作品の掲載以前に、雑誌社へお金をねだることも、決してしない。なるべく、知らぬふりをしている。くれなければ、くれないでいい。あとは、書かぬだけだ。世の中は、私にそれを教えた。

人に頭をさげて、金銭のことをたのむということは、これは、実に実に、恐ろしいことなのだ。戦慄（せんりつ）の悲惨である。私は、いまこそ、それを知った。作品で、大金を得るということは、なかなか至難のことであるから、私は、ほとんど、それを期待しない。あれば、あるだけの生活をするつもりだし、無ければ無いで、あわてないように、ふだんから、けちにけちに暮しているのだ。そうして居れば、なんにも欲しいものがない。あてにしていた夢が、かたっぱしから全部はずれて、大穴あけて、あの悽惨（せいさん）、焦躁（しょうそう）、私はそれを知っている。その地獄の中でだけ、この十年間を生きて来た。もう、いやだ。私は、幸福を信じない。光栄をさえ信じない。ほんとうに、私は、なんにも欲しくない。私には、いまは何も、必要なものはないのだ。こうして苦しみながら書いて、転々して、そうして二、三の真実、愛しているものたちを、ほのかに喜ばせ、お役に立つことができたら、私は、それで満足しなければならぬ。空中楼閣は、もう、いやだ。私は、いまは、冷いけちな男だ。私は、机のひき出しの二十円を死守しなければならぬ。私は、平気で嘘をついた。「いや、このひき出しの中にお金が在りそうに思われるのは、それは君の勘のにぶさだ。そう思わなければ、いけない。見せてもいいが、このひき出しには、お金が無い。実を言えば、きょうは、この家には、ほんの五、六銭しか、お金が無いのだ。」いやしい嘘言である。

「あります。」どろぼうは、もそりと言った。

私は、飛び上るほど、ぎょっとした。

「やあ、君は、」思わず大声になってしまって、「君は、どんな根拠があって、そんな、失敬なことを言うのだ。だいたい、失敬じゃないか。僕の家に、お金が在ろうが無かろうが、君は、それに容喙（ようかい）する権利は、ないのだ。君は、一体、誰だ！」極度の恐怖は、何か、怒りに似た絶叫をも、巻き起すものらしい。おびえる犬の吠えるのも、この類である。

どろぼうは、すっと立って、

「金を出せ。」こんどの声は、充分に、凄（すご）く気味わるいものであった。

「出すさ。あったら、出すさ。」さすが守銭奴の私も、この暗中の、ただならぬ険悪の気配には、へたばった。それに自身の、守銭奴ぶりも、あさましくなって来て、「そんなに金が、ほしいのかね。待っている女房、子供もあるんだろう。僕にも覚えが有るよ。女房がヒステリイみたいに口やかましく、君の働きのなさを痛罵（つうば）するものだから、君も大きいこと言って、何か真顔で、きょうすぐお金がはいるあてがあるなんて、まっかな嘘ついて女房を喜ばせ、女房にうんと優しくされて家を出て、さて、なんにも、あてがない。苦しいからなあ。覚えが有るよ。このまま、手ぶらでも、けえられめえ。」私は、もはや、やけくそで、ことさらに下品な口調で言って、「あれも、一種の地獄だあね。どうだい、ちっとは、恥ずかしく思えよ。どだい女房に、まことしやかの嘘をつくのが、けちくさいじゃないか。そんなに女房の喜ぶ顔を拝みたいのかね。君は、女房に惚れているな。女房は、君には、すぎたる逸物なんだろう。え？　そうだろう？」そんなに、べらべら、しつこく、どろぼうに絡みついているわけは、どろぼうは、何も言わず、のこのこ机の傍にやって来て、ひき出しをあけて、中をかき廻し、私の精一ぱいのいやがらせをも、てんで相手にせず、私は、そのどろぼうの牛豚のような黙殺の非礼の態度が、どうにも、いまいましく、口から出まかせ、ここぞと罵言をあびせかけていたのである。どうせ、二十円を取られるのだ。ちっとは、悪口でも言ってやらなければ、合わない、と思った。どろぼうは、既に財布を捜し当てた様子で、

「もっとないか。」

「興覚めるね。だから、僕は、リアリストはいやだ。も少し、気のきいたことを言ってもらいたいね。どうせ、その金は、君のものさ。僕の負けさ。どうも、不言実行には、かなわない。」

私は、しきりと味気なかった。

「金を出せ。」また、言った。

私は、声のほうへ、ふりむいて、

「ばか！　いい加減にしろ！　僕は、ほんとうに怒るぞ。僕は、なんでも知っている。君みたいな奴と、あんまり、あと腐りの縁を持ちたくないから、僕は、さっきから、ばかみたいに、いい加減にとぼけていたのだ。僕は、すっかり知っている。君は、女だ。君は、きょうの夕方、

その窓の外で、パリパリと低い音たてて傘をひらいた。あの、しのぶような音は、絶対に女性特有のものだ。男が傘をひらくときは、どんなに静かにひらいても、あんな音は、できないのだ。君は、夕方あらかじめ、僕の家の様子を、内偵しに来たのだ。それにちがいない。君は、僕の家のぐるりをも、細密に偵察した。お隣りの、あのよく吠える犬が、今夜に限って、ちっとも吠えないところを見れば、君は、ゆうべ、あの犬に毒饅頭(まんじゅう)を食わせてやったにちがいない。むごいことをする奴だ。僕は、ゆうべ、塀の上から覗きこんでいる君の顔を、ちゃんと見て知っている。忘れるものか。僕は、偉い絵かきだから、君の顔を、そのまま、いつでも画いて見せることができる。君の今夜の服装だって、撫(な)で肩だって、一つも、残さず全部、知っている。電灯を消すまえに、ちゃんと見とどけてしまっているのだ。言ってあげようか。君は、わざわざ、印半纏(しるしばんてん)を裏がえしに着ているが、僕には、その半纏の裏の襟(えり)に、どんな文字が染め抜かれて在るか、それさえ、ちゃんとわかっているのだ。言ってあげようか。今金酒造株式会社。どうだい、おどろいたか。僕は、君の手さえ握っているのだ。男か、女か、その区別さえわからないようで、そんな工合で、偉い絵かきとは、言えまい。いいかい、君は、ことし三十一だ。御亭主(ていしゅ)は、君より年下で、二十六だ。年下の亭主って、可愛いものさ。食べてしまいたいだろう。それに、君の亭主は、気が弱くて、街頭に出て、あの、いんちきの万年筆を、あやしげの口上でのべて売っているのだが、なにせ気の弱い、甘えっ子だから、こないだも、泉法寺の縁日で、万年筆のれいの口上、この万年筆、今回とくべつを以て皆さんに、会社の宣伝のため、無代進呈するものであります、と言って、それから、万年筆の数にも限りがあり、皆さん全部に、おわけすることもできず、先着順に、おしるしだけ金十銭也をいただいて、と急いで言い続けなければいけないところを、無代進呈するつもりであります、と言い切って、ふと客のほうを見ると、ひとり刑事らしい赤らがおの親爺が客のうしろで、にやっと笑って、君の亭主は、それを見るなり、かっと一時にのぼせちゃって、無代進呈するつもりであります、ほんとうに無代進呈いたします、おれは嘘なんか、つかない、なあに、こんな商売していても、お客を、だますことなんか、きらいなんだ。無代進呈します、さあ、みんな持っていってくれ、信じない奴は、ばかだ。無代進呈いたします。露店商人にも、意地は、あるんだ。みんな、ただで差しあげます。ああ、お嬢さん、ほしいの？　いいねえ、あなたは、人を疑わない。はじめから、おれが、ただで、この万年筆をさしあげること、はじめっから信じていてくれたんですね。ああ、疑わない人は、とくをする。さあ、さし上げましょう、三本。一本は、お父さんに。一本は、お母さんに。私を忘れないで下さい！　さあ、ほかに欲しい人はないか。疑うやつは、損をする。世の中、なんでもそうだ。利巧ぶってにやにや笑っているやつは、かえってばかだ。大ばかの大間抜けだ。素直に信じる人は、とくをする。神さまだって、可愛がる。はい、あなたに一本。はい、あなたにも一本。ああ、おれは、泣くほどうれしい。なあに、おろし値段六円と少しだ。安いものさ。一晩、女を抱いたと思えば、あきらめもつくんだ。安いものさ。おれのことは、心配するな。さあ、ほかに欲しい人はないか、ないか。信じない奴あ、ばかだ！君の亭主は、こんな工合に、調子づいて、おしまいには泣き声にさえなって、とうとう万年筆全部、一本のこらずくれちゃったんだ。その無力の亭主の手助けに、あきれたね。君の亭主は、そんな、へまな男なんだ。それゆえ、君は、その無力の亭主の手助けに、こんな夜かせぎに出なくちゃならなくなってしまった。どうだ、あたっているだろう。」あたるも、あたらぬも無い。私は、二十円とられたのが、なんとしても、いまいましく、むしゃくしゃして、口から出まかせ、さんざ威張りちらして、私の夢を、謂わば、私の小説の筋書を、勝手に申述べているだけなのである。まさしく、負けた犬、吠えるの類にちがいなかった。「僕は、まだまだ知っている。君は、なぜ僕の家を選んだか。僕は、知っている。僕の家は、まあ、若夫婦二人きりの、謂わば、まあ、新家庭だ。君は、そこのところに眼をつけた。若夫婦は、のんびりしていて、何かにつけて、しまりがない。そこに眼をつけた。と言えば上品だが、君、そうではなかろう？それだけではなかろう？どうだい？君は、まだ、三十一だ。純粋に盗むことだけの目的で、それは、はいるのだろうが、けれども、そこに何か景品的なたのしみも、こっそりあてにしてはいないか。同じことなら、若夫婦の寝所にしのびこんでみたい、そうして、君、ああ、いやしい！きたない！恥ずかしくないか。君は、そのような興味も、あって、僕の家を襲った。たしかに、そうだ。君は、まだ三十一だ。女のさかりだ。卑劣だねえ、君は。ところがお生憎さま、僕のところは、このようにちゃんと寝室を別にしている。神聖なものだ。しどけない有様は、どこにも無い。ひっそり閑としたものだ。ここにも、君の失敗がある。つつしむべきは、好色の念だね。君なんかに、のぞき見されて、たまるもんか。君は、ときどき上流の家庭にも、しのび込んで、そうして、そこの大奥様の財布なんか盗んで家へ持ってかえり、そのお財布の中に、奇妙な極彩色の絵なんか在る場合、亭主とふたりで、大いに笑って得意らしいが、何もあれは、大奥様の好色の念から、その絵をいれて置くのじゃないのだぜ。あれは、ね、教えてあげる。つまり、そんな絵がはいっていると、その財布を落さないように、しじゅう気をつけるようになるし、すべての注意力をお財布に集中させて置くようにとの、つつましく厳粛な心から、あの絵を一枚入れて置くのだ。決して、浮いた、みだらな心からでは無いのだ。財布にあれを入れて置くと、お金がなくならないし、箪笥にあれを入れて置くと、着物に不自由しない、というが、それは、ほんとうなんだ。そこに注意力を集中させるためなんだ。ずいぶん恥ずかしいもんだから、その財布にも、箪笥にも、なるべく手をふれないよう、無闇に開閉しないように、そっと大事に、いたわるようになるのだ。いじらしいじゃないか。ずいぶん、つましい奥ゆかしいことなんだ。君は、それから、子供の財布さえ盗んだことがあるね。たしかに、盗んだ。そうして、君は、泣いたろう。女の子の財布には、その子供自身で針金ねじ曲げてこしらえた指輪なんかがはいっていて、その不手際の、でこぼこした針金の屈曲には、女の子のうんうん唸って、顔を赤くして針金ねじ曲げた子供の柔かいちからが、そのまま、じかに残っていて、彎曲のくぼみくぼみに、その子供の小さい努力が、ほの温くたまっていて、君は、たまらなくなって顔を覆ったろう。平気だったら、君は、鬼だ。また、男の子の財布には、メンコが一そろいはいっている。メンコには、それぞれお角力さんの絵が画かれていて、東の横綱から前頭まで、また西の横綱から前頭まで、東西五枚ずつ、合計十枚、ある筈なんだが、一枚たりない。東の横綱がないんだ。どういうわけか、そこまでは僕も知らない。メンコ屋で、品切れになっていたのかも知れない。持主の男の子は、かねがね、どんなにそれを淋しがっていたことだろう。どんなに、ひそかに気がひけていたろう。どんなに東の横綱が、ほしかったろう。所蔵の童話の本、全部を投げ打っても、その東の横綱と交換したいと思っていたにちがいない。東の横綱は、どこのメンコ屋にも無かった。友だちみんなに聞いてまわっても無かった。そのとき、君が、盗んじゃった。君はそのメンコを調べてみて、その男の子の無念と、淋しさを思いやって、しじゅう、そのことが頭から離れず、その後は、メンコ屋の店のまえをとおるときには、必ずちょっと店先を覗いて、もしや、東の横綱が無いかしら、と思わず懸命に捜してみるようになってしまっているにちがいない。そうでなかったら、君は、鬼だ。どろぼうなんて、いい商売じゃないね。よしたまえ、おい、聞いているのか。」

隣室にぱっと電灯がともって、この部屋も薄明るくなって、見ると、どろぼうは、影も形も無い。いやな気がした。

襖をあけて、家内がよろめくようにしてはいって来て、

「どろぼう？」あさましいほどに、舌がもつれていて、そのまま、ぺたりと坐ってしまった。

「そうだ。たしかに、いたのだ。」家内の恐怖の情を見て、たちまち私は、それに感染してしまったのである。歯の根も合わぬほどに、がたがたと震えはじめた。はじめて、人心地を取りかえしたのかも知れない。それまでは、私は、あまりの驚愕に、動顛して、震えることさえ忘却し、ひたすらに逆上し、舌端火を吐き、一種の発狂状態に在ったのかも知れない。「たしかに、いたのだ。たしかに。まだ、いるかも知れない。」

家内は、私が、畳のきしむほどに、烈しく震え出したのを見て、かえって自分のほうは落ちつきを得た様子で、くすくす無理に笑い出し、

「かえりましたよ。あたし知っている。あなたが、ばかッと、どろぼうを大声でお叱りになったでしょう？　あのとき、あたし眼をさましたの。耳をすまして、あなたのお話を聞いていると、どうも相手は、どろぼうらしいのでしょう？　あたし、だめだ、と思ったの。死んだようになって、俯伏のままじっとしていたら、どろぼうの足音が、のしのし聞えて、部屋から出て行くらしいので、ほっとしたの。可笑しなどろぼうね。ちゃんと雨戸まで、しめて行ったのね。

がたぴし、あの雨戸をしめるのに、苦労していたらしいわ。」

見ると、なるほど、雨戸はちゃんとしめてある。すると、私は、誰もいない真暗い部屋で、ひとりでいい気になって、ながながと説教していたものとみえる。ばかげている。どろぼうが、すぐにこそこそ立ち去ったのも、そうして、ごていねいに、雨戸までしめていって呉れたのも、ちっとも気づかず、夢中で独(ひと)りわめいていたものらしい。

「つまらないどろぼうだね。」私は、仕方なしに笑った。「徹頭徹尾のリアリストだ。おい、お金みんな持って行ったらしいぞ。」

「お金なんか、」家内は、いつでも私にはらはらさせるくらい、お金に無頓着である。芸術家の家内というものは、そうしなければいけないと愚直に思いこんで努めているふしが在る。「それよりも、お怪我(けが)が無くて、なによりでした。ほんとうに、」と言いかけて、肩を落して溜息(ためいき)をつき、それから、顔を伏せたまま、「あんな、どろぼうなんかに、文学を説いたりなさること、およしになったら、いかがでしょうか。私は、あなたのところへお嫁に来るとき、親戚(しんせき)の婦人雑誌の記者をしている者が、私の母のところに、あなたのとても悪い評判を、手紙で知らせて寄こして、そのときは、私たち、あなたともお逢いしたあとのことで、母は、あなたを信じて居りましたし、その親戚の記者も、あなたと直接お逢いしたことは無く、ただ噂(うわさ)だけを信じて、私たちに忠告して寄こしたのですし、本人に逢った印象が第一だ、と私も思いまして、私は、いまは、ちっともあなたのことを疑っていないのですけれども、あんな、どろぼうなんかに、小説みたいなことおっしゃったりなんかして、――」

「わかった。やっぱり、変質者か。」結婚して、はじめて、このとき、家内をぶん殴ろうかと思った。どろぼうに見舞われたときにも、やはり一般市民を真似て、どろぼう、どろぼうと絶叫して、ふんどしひとつで外へ飛び出し、かなだらいたたいて近所近辺を駈けまわり、町内の大騒ぎにしたほうが、いいのか。それが、いいのか。私は、いやになった。それならば、現実というものは、いやだ！ 愛し、切れないものがある。あの悪徳の、どろぼうにしても、この世のものは、なんと、白々しく、興覚めのものか。ぬっとはいって来て、お金さらって、ぬっとかえった。それだけのものでは、ないか。この世に、ロマンチックは、無い。私ひとりが、変質者だ。そうして、私も、いまは営々と、小市民生活を修養し、けちな世渡りをはじめている。いやだ。私ひとりでもよい。もういちど、あの野望と献身の、ロマンスの地獄に飛び込んで、くたばりたい！ できないことか。いけないことか。この大動揺は、昨夜の盗賊来襲を契機として、けさも、否、これを書きとばしながら、いまのいままで、なお止まず烈しく継続しているのである。

# 老ハイデルベルヒ

八年まえの事でありました。当時、私は極めて懶惰な帝国大学生でありました。一夏を、東海道三島の宿で過したことがあります。五十円を故郷の姉から、これが最後だと言って、やっと送って戴き、私は学生鞄に着更の浴衣やらシャツやらを詰め込み、それを持ってふらと、下宿を立ち出で、そのまま汽車に乗りこめばよかったものを、方角を間違え、馴染みのおでんやにとびこみました。其処には友達が三人来合わせて居ました。やあ、やあ、めかして何処へ行くのだと、既に酔っぱらっている友人達は、私をからかいました。私は気弱く狼狽して、いや何処ということもないんだけど、君たちも、行かないかね、と心にも無い勧誘がふいと口から辷り出て、それからは騎虎の勢で、僕にね、五十円あるんだ、故郷の姉から貰ったのさ、これから、みんなで旅行に出ようよ、なに、仕度なんか要らない、そのままでいいじゃないか、行こう、行こう、とやけくそになり、しぶる友人達を引張るようにして連れ出してしまいました。

あとは、どうなることか、私自身にさえわかりませんでした。あの頃は私も、随分、呑気なところのある子供でした。世の中も亦、私達を呑気に甘えさせてくれていました。私は、三島に行って小説を書こうと思って居たのでした。三島には高部佐吉さんという、私より二つ年下の青年が酒屋を開いて居たのです。佐吉さんの兄さんは沼津で大きい造酒屋を営み、佐吉さんは其の家の末っ子で、私とふとした事から知合いになり、私も同様に末弟であるし、また同様に早くから父に死なれている身の上なので、佐吉さんとは、何かと話が合うのでした。佐吉さんの兄さんとは私も逢ったことがあり、なかなか太っ腹の佳い方だし、佐吉さんは家中の愛を独占して居るくせに、それでも何かと不平が多い様で、家を飛出し、東京の私の下宿へ、にこにこ笑ってやって来た事もありました。さまざま駄々をこねて居たようですが、どうにか落ち附き、三島の町はずれに小ぢんまりした家を持ち、兄さんの家の酒樽を店に並べ、酒の小売を始めたのです。二十歳の妹さんと二人で住んで居ました。私は、其の家へ行くつもりであったのです。佐吉さんから、手紙で様子を聞いているだけで、まだ其の家を見た事も無かったので、行ってみて具合が悪いようだったらすぐ帰ろう、具合がいいようだったら一夏置いて貰って、小説を一篇書こう、そう思って居たのでありましたが、心ならずも三人の友人を招待してしまったので、私は、とにかく三島迄の切符を四枚買い、自信あり気に友人達を汽車に乗せたものの、さてこんなに大勢で佐吉さんの小さい酒店に御厄介になっていいものかどうか、汽車の進むにつれて私の不安は増大し、そのうちに日も暮れて、三島駅近くなる頃には、あまりの心細さに全身こまかにふるえ始め、幾度となく涙ぐみました。私は自身のこの不安を、友人に知らせたくなかったので、懸命に佐吉さんの人柄の良さを語り、三島に着いたらしめたものだ、三島に着いたらしめたものだと、自分でもイヤになる程、その間の抜けた無意味な言葉を幾度も幾度も繰返して言うのでした。あらかじめ佐吉さんに電報を打って置いたのですが、はたして三島の駅に迎えに来てくれて居るかどうか、若し迎えに来て居てくれなかったら、私は此の三人の友人を抱えて、一体どうしたらいいでしょう。私の面目は、まるつぶれになるのではないでしょうか。三島駅に降りて改札口を出ると、構内はがらんとして誰も居りませぬ。ああ、やはり駄目だ。私は泣きべそかきました。駅は田畑の真中に在って、三島の町の灯さえ見えず、どちらを見廻しても真暗闇、稲田を撫でる風の音がさやさや聞え、蛙の声も胸にしみて、私は全く途方にくれました。佐吉さんでも居なければ、私にはどうにも始末がつかなかったのです。汽車賃や何かで、姉から貰った五十円も、そろそろ減って居りますし、友人達には勿論持合せのある筈は無し、私がそれを承知で、おでんやからそのまま引張り出して来たのだし、そうして友人達は私を十分に信用している様子なのだから、いきおい私も自信ある態度を装わねばならず、なかなか苦しい立場でした。無理に笑って私は、大声で言いました。

「佐吉さん、呑気だなあ。時間を間違えたんだよ。歩くよりほかは無い。この駅にはもとからバスも何も無いのだ。」と知ったかぶりして鞄を持直し、さっさと歩き出したら、其のとき、闇のなかから、ぽっかり黄色いヘッドライトが浮び、ゆらゆらこちらへ泳いで来ます。
「あ、バスだ。今は、バスもあるのか。」と私はてれ隠しに呟き、「おい、バスが来たようだ。あれに乗ろう！」と勇んで友人達に号令し、みな道端に寄って並び立ち、速力の遅いバスを待って居ました。やがてバスは駅前の広場に止り、ぞろぞろ人が降りて、と見ると佐吉さんが白浴衣着てすまして降りました。私は、唸るほどほっとしました。

　佐吉さんが来たので、助かりました。その夜は佐吉さんの案内で、三島からハイヤーで三十分、古奈温泉に行きました。三人の友人と、佐吉さんと、私と五人、古奈でも一番いい方の宿屋に落ちつき、いろいろ飲んだり、食べたり、友人達も大いに満足の様子で、あくる日東京へ、有難う、有難うと朗らかに言って帰って行きました。宿屋の勘定も佐吉さんの口利きで特別に安くして貰い、私の貧しい懐中からでも十分に支払うことが出来ましたけれど、友人達に帰りの切符を買ってやったら、あと、五十銭も残りませんでした。
「佐吉さん。僕、貧乏になってしまったよ。君の三島の家には僕の寝る部屋があるかい。」

　佐吉さんは何も言わず、私の背中をどんと叩きました。そのまま一夏を、私は三島の佐吉さんの家で暮しました。三島は取残された、美しい町であります。町中を水量たっぷりの澄んだ小川が、それこそ蜘蛛の巣のように縦横無尽に残る隈なく駈けめぐり、清冽の流れの底には水藻が青々と生えて居て、家々の庭先を流れ、縁の下をくぐり、台所の岸をちゃぷちゃぷ洗い流れて、三島の人は台所に座ったままで清潔なお洗濯が出来るのでした。昔は東海道でも有名な宿場であったようですが、だんだん寂れて、町の古い住民だけが依怙地に伝統を誇り、寂れても派手な風習を失わず、謂わば、滅亡の民の、名誉ある懶惰に耽っている有様でありました。実に遊び人が多いのです。佐吉さんの家の裏に、時々糶市が立ちますが、私もいちど見に行って、つい目をそむけてしまいました。何でも彼でも売っちゃうのです。乗って来た自転車を、其のまま売り払うのは、まだよい方で、おじいさんが懐からハアモニカを取り出して、五銭に売ったなどは奇怪でありました。古い達磨の軸物、銀鍍金の時計の鎖、襟垢の着いた女の半纏、玩具の汽車、蚊帳、ペンキ絵、碁石、鉋、子供の産衣まで、十七銭だ、二十銭だと言って笑いもせずに売り買いするのでした。集る者は大抵四十から五十、六十の相当年輩の男ばかりで、いずれは道楽の果、五合の濁酒が欲しくて、取縋る女房子供を蹴飛ばし張りとばし、家中の最後の一物まで持ち込んで来たという感じでありました。或いは又、孫のハアモニカを、爺に借せと騙して取上げ、こっそり裏口から抜け出し、あたふた此所へやって来たというような感じでありました。珠数を二銭に売り払った老爺もありました。わけてもひどいのは、半分ほどきかけの、女の汚れた袷をそのまま丸めて懐へつっこんで来た頭の禿げた上品な顔の御隠居でした。殆んど破れかぶれに其の布を、（もはや着物ではありません。）拡げて、さあ、なんぼだ、なんぼだと自嘲の笑を浮べながら値を張らせて居ました。頽廃の町なのであります。町へ出て飲み屋へ行っても、昔の、宿場のときのままに、軒の低い、油障子を張った汚い家でお酒を頼むと、必ずそこの老主人が自らお燗をつけるのです。五十年間お客にお燗をつけてやったと自慢して居ました。酒がうまいもまずいも、すべてお燗のつけよう一つだと意気込んで居ました。としよりがその始末なので、若い者は尚の事、遊び馴れて華奢な身体をして居ます。毎日朝から、いろいろ大小の与太者が佐吉さんの家に集ります。佐吉さんは、そんなに見掛けは頑丈でありませんが、それでも喧嘩が強いのでしょうか、みんな佐吉さんに心服しているようでした。私が二階で小説を書いて居ると、下のお店で朝からみんながわあわあ騒いでいて、佐吉さんは一際高い声で、

「なにせ、二階の客人はすごいのだ。東京の銀座を歩いたって、あれ位の男っぷりは、まず無いね。喧嘩もやけに強くて、牢に入ったこともあるんだよ。唐手を知って居るんだ。見ろ、この柱を。へこんで居るずら。これは、二階の客人がちょいとぶん殴って見せた跡だよ。」と、とんでも無い嘘を言って居ます。私は、頗る落ちつきません。二階から降りて行って梯子段の上り口から小声で佐吉さんを呼び、

「あんな出鱈目を言ってはいけないよ。僕が顔を出されなくなるじゃないか。」そう口を尖らせて不服を言うと、佐吉さんはにこにこ笑い、

「誰も本気に聞いちゃ居ません。始めから嘘だと思って聞いて居るのですよ。話が面白ければ、きゃつら喜んで居るんです。」

「そうかね。芸術家ばかり居るんだね。でもこれからは、あんな嘘はつくなよ。僕は落ちつかないんだ。」そう言い捨てて又二階へ上り、其の「ロマネスク」という小説を書き続けて居ると、又も、佐吉さんの一際高い声が聞えて、

「酒が強いと言ったら、何と言ったって、二階の客人にかなう者はあるまい。毎晩二合徳利で三本飲んで、ちょっと頬っぺたが赤くなる位だ。それから、気軽に立って、おい佐吉さん、銭湯へ行こうよと言い出すのだから、相当だろう。風呂へ入って、悠々と日本剃刀(かみそり)で髯(ひげ)を剃(そ)るんだ。傷一つつけたことが無い。俺の髯まで、時々剃られるんだ。それで帰って来たら、又一仕事だ。落ちついたもんだよ。」

これも亦(また)、嘘であります。毎晩、私が黙って居ても、夕食のお膳に大きい二合徳利がつけてあって、好意を無にするのもどうかと思い、私は大急ぎで飲むのでありますが、何せ醸造元から直接持って来て居るお酒なので、水など割ってある筈は無し、頗る純粋度が高く、普通のお酒の五合分位に酔うのでした。佐吉さんは自分の家のお酒は飲みません。兄貴が造(こしら)えて不当の利益を貪(むさぼ)って居るのを、此の眼で見て知って居ながら、そんな酒とても飲まれません。げろが出そうだ、と言って、お酒を飲むときは、外へ出てよその酒を飲みます。佐吉さんが何も飲ま

ないのだから、私一人で酔っぱらって居るのも体裁が悪く、頭がぐらぐらして居ながらも、二合飲みほしてすぐに御飯にとりかかり、御飯がすんでほっとする間もなく、佐吉さんが風呂へ行こうと私を誘うのです。断るのも我儘のような気がして、私も、行こうと応じて、連れ立って銭湯へ出かけるのです。私は風呂へ入って呼吸が苦しく死にそうになります。ふらふらして流し場から脱衣場へ逃れ出ようとすると、佐吉さんは私を摑え、髯がのびて居ます。剃ってあげましょう、と親切に言って下さるので、私は又も断り切れず、ええ、お願いします、と頼んでしまうのでした。くたくたになり、よろめいて家へ帰り、ちょっと仕事をしようかな、と呟いて二階へ這い上り、そのまま寝ころんで眠ってしまうのであります。佐吉さんだって、それを知って居るに違いないのに、何だってあんな嘘の自慢をしたのでしょう。三島には、有名な三島大社があります。年に一度のお祭は、次第に近づいて参りました。佐吉さんの店先に集って来る若者達も、それぞれお祭の役員であって、様々の計画を、はしゃいで相談し合って居ました。踊り屋台、手古舞、山車、花火、三島の花火は昔から伝統のあるものらしく、水花火というものもあって、それは大社の池の真中で仕掛花火を行い、その花火が池面に映り、花火がもくもく池の底から涌いて出るように見える趣向になって居るのだそうであります。凡そ百種くらいの仕掛花火の名称が順序を追うて記されてある大きい番附が、各家毎に配布されて、日一日とお祭気分が、寂れた町の隅々まで、へんに悲しくときめき浮き立たせて居りました。お祭の当日は朝からよく晴れていて私が顔を洗いに井戸端へ出たら、佐吉さんの妹さんは頭の手拭いを取って、おめでとうございます、と私に挨拶いたしました。ああ、おめでとう、と私も不自然でなくお祝いの言葉を返す事が出来ました。佐吉さんは、超然として、べつにお祭の晴着を着るわけでなし、ふだん着のままで、店の用事をして居ましたが、やがて、来る若者、来る若者、すべて派手な大浪模様のお揃いの浴衣（ゆかた）を着て、腰に団扇（うちわ）を差し、やはり揃いの手拭いを首に巻きつけ、やあ、おめでとうございます、やあ、こんにちはおめでとうございますと、晴々した笑顔で、私と佐吉さんとに挨拶しました。其の日は私も、朝から何となく落ちつかず、さればといって、あの若者達と一緒に山車を引張り廻して遊ぶことも出来ず、仕事をちょっと仕掛けては、また立ち上り、二階の部屋をただうろうろ歩き廻って居ました。窓に倚（よ）りかかり、庭を見下せば、無花果（いちじく）の樹蔭（こかげ）で、何事も無さそうに妹さんが佐吉さんのズボンやら、私のシャツやらを洗濯して居ました。

「さいちゃん。お祭を見に行ったらいい。」

と私が大声で話しかけると、さいちゃんは振り向いて笑い、

「私は男はきらいじゃ。」とやはり大声で答えて、それから、またじゃぶじゃぶ洗濯をつづけ、

「酒好きの人は、酒屋の前を通ると、ぞっとするほど、いやな気がするもんでしょう？　あれと同じじゃ。」と普通の声で言って、笑って居るらしく、少しいかっている肩がひくひく動い

て居ました。妹さんは、たった二十歳でも、二十二歳の佐吉さんより、また二十四歳の私よりも大人びて、いつも、態度が清潔にはきはきして、まるで私達の監督者のようでありました。佐吉さんも亦、其の日はいらいらして居る様子で、町の若者達と共に遊びたくても、派手な大浪の浴衣などを着るのは、断然自尊心が許さず、逆に、ことさらにお祭に反撥して、ああ、つまらぬ。今日はお店は休みだ、もう誰にも酒は売ってやらない、とひとりで僻んで、自転車に乗り、何処かへ行ってしまいました。やがて佐吉さんから私に電話がかかって来て、れいの所へ来いということだったので、私はほっと救われた気持で新しい浴衣に着更え、家を飛んで出ました。れいの所とは、お酒のお燗を五十年間やって居るのが御自慢の老爺の飲み屋でありました。そこへ行ったら佐吉さんと、もう一人江島という青年が、にこりともせず大不機嫌で酒を飲んで居ました。江島さんとはその前にも二三度遊んだことがありましたが、佐吉さんと同じで、お金持の家に育ち、それが不平で、何もせずに、ただ世を怒ってばかりいる青年でありました。佐吉さんに負けない位、美しい顔をして居ました。やはり今日のお祭の騒ぎに、一人で僻んで反抗し、わざと汚いふだん着のままで、その薄暗い飲み屋で、酒をまずそうに飲んで居るのでありました。それに私も加わり、暫く、黙って酒を飲んで居ると、表はぞろぞろ人の行列の足音、花火が上り、物売りの声、たまりかねたか江島さんは立ち上り、行こう、狩野川へ行こうよ、と言い出し、私達の返事も待たずに店から出てしまいました。三人が、町の裏通りばかりをわざと選んで歩いて、ちえっ！　何だいあれあ、と口々にお祭を意味なく軽蔑しながら、三島の町から逃れ出て沼津をさしてどんどん歩き、日の暮れる頃、狩野川のほとり、江島さんの別荘に到着することが出来ました。裏口から入って行くと、客間に一人おじいさんが、シャツ一枚で寝ころんで居ました。江島さんは大声で、

「なあんだ、何時来たんだい。ゆうべまた徹夜でばくちだな？　帰れ、帰れ。お客さんを連れて来たんだ。」

老人は起き上り、私達にそっと愛想笑いを浮べ、佐吉さんはその老人に、おそろしく丁寧なお辞儀をしました。江島さんは平気で、

「早く着物を着た方がいい。風邪を引くぜ。ああ、帰りしなに電話をかけてビイルとそれから何か料理を此所へすぐに届けさせてくれよ。お祭が面白くないから、此所で死ぬほど飲むんだ。」

「へえ。」と剽軽に返事して、老人はそそくさ着物を着込んで、消えるように居なくなってしまいました。佐吉さんは急に大声出して笑い、

「江島のお父さんですよ。江島を可愛くって仕様が無いんですよ。へえ、と言いましたね。」

やがてビイルが届き、様々の料理も来て、私達は何だか意味のわからない歌を合唱したように覚えて居ます。夕靄につつまれた、眼前の狩野川は満々と水を湛え、岸の青葉を嘗めてゆる

ゆると流れて居ました。おそろしい程深い蒼い川で、ライン川とはこんなのではないかしら、と私は頗る唐突ながら、そう思いました。ビイルが無くなってしまったので、私達は又、三島の町へ引返して来ました。随分遠い道のりだったので、私は歩きながら、何度も何度も、こくりと居眠りしました。あわててしぶい眼を開くと蛍がすいと額を横ぎります。佐吉さんの家へ辿り着いたら、佐吉さんの家には沼津の実家のお母さんがやって来て居ました。私は御免蒙って二階へ上り、蚊帳を三角に釣って寝てしまいました。言い争うような声が聞えたので眼を覚まし、窓の方を見ると、佐吉さんは長い梯子を屋根に立てかけ、その梯子の下でお母さんと美しい言い争いをして居たのでありました。今夜、揚花火の結びとして、二尺玉が上るということになって居て、町の若者達もその直径二尺の揚花火の玉については、よほど前から興奮して話し合っていたのです。その二尺玉の花火がもう上る時刻なので、それをどうしてもお母さんに見せると言ってきかないのです。佐吉さんも相当酔って居りました。

「見せるったら、見ねえのか。屋根へ上ればよく見えるんだ。おれが負ってやるっていうのに、さ、負さりなよ、ぐずぐずして居ないで負さりなよ。」

　お母さんはためらって居る様子でした。妹さんも傍にほの白く立って居て、くすくす笑って居る様子でした。お母さんは誰も居ぬのにそっとあたりを見廻し、意を決して佐吉さんに負さりました。

「ううむ、どっこいしょ。」なかなか重い様子でした。お母さんは七十近いけれど、目方は十五、六貫もそれ以上もあるような随分肥ったお方です。

「大丈夫だ、大丈夫。」と言いながら、そろそろ梯子を上り始めて、私はその親子の姿を見て、ああ、あれだから、お母さんも佐吉さんを可愛くてたまらないのだ。佐吉さんがどんな我儘なふしだらをしても、お母さんは兄さんと喧嘩してまでも、末弟の佐吉さんを庇（かば）うわけだ。私は花火の二尺玉よりもいいものを見たような気がして、満足して眠ってしまいました。三島には、その他にも数々の忘れ難い思い出があるのですけれども、それは又、あらためて申しましょう。そのとき三島で書いた「ロマネスク」という小説が、二三の人にほめられて、私は自信の無いままに今まで何やら下手（へた）な小説を書き続けなければならない運命に立ち至りました。三島は、私にとって忘れてならない土地でした。私のそれから八年間の創作は全部、三島の思想から教えられたものであると言っても過言でない程、三島は私に重大でありました。

八年後、いまは姉にお金をねだることも出来ず、故郷との音信も不通となり、貧しい痩せた一人の作家でしかない私は、先日、やっと少しまとまった金が出来て、家内と、家内の母と、妹を連れて伊豆の方へ一泊旅行に出かけました。清水で降りて、三保へ行き、それから修善寺へまわり、そこで一泊して、それから帰りみち、とうとう三島に降りてしまいました。いい所なんだ、とてもいい所だよ。そう言って皆を三島に下車させて、私は無理にはしゃいで三島の町をあちこち案内して歩き、昔の三島の思い出を面白おかしく、努めて語って聞かせたのですが、私自身だんだん、しょげて、しまいには、ものも言いたくなくなる程けわしい憂鬱に落ち込んでしまいました。今見る三島は荒涼として、全く他人の町でした。此処(ここ)にはもう、佐吉さんも居ない。妹さんも居ない。江島さんも居ないだろう。佐吉さんの店に毎日集って居た若者達も、今は分別くさい顔になり、女房を怒鳴ったりなどして居るのだろう。どこを歩いても昔の香が無い。三島が色褪(いろあ)せたのではなくして、私の胸が老い干乾(ひから)びてしまったせいかもしれない。八年間、その間には、往年の呑気な帝国大学生の身の上にも、困苦窮乏の月日ばかりが続きました。八年間、その間に私は、二十も年をとりました。やがて雨さえ降って来て、家内も、母も、妹も、いい町です、落ち附いたいい町です、と口ではほめていながら、やはり当惑そうな顔色は蔽(おお)うべくもなく、私は、たまりかねて昔馴染みの飲み屋に皆を案内しました。あまり汚い家なので、門口で女達はためらって居ましたが、私は思わず大声になり、

「店は汚くても、酒はいいのだ。五十年間、お酒の燗ばかりしているじいさんが居るのだ。三島で由緒のある店ですよ。」と言い、むりやり入らせて、見るともう、あの赤シャツを着たおじいさんは居ないのです。つまらない女中さんが出て来て注文を聞きました。店の食卓も、腰掛も、昔のままだったけれど、店の隅に電気蓄音機があったり、壁には映画女優の、下品な大きい似顔絵が貼られてあったり、下等に荒(すさ)んだ感じが濃いのであります。せめて様々の料理を

取寄せ、食卓を賑かにして、このどうにもならぬ陰鬱の気配を取払い度く思い、

「うなぎと、それから海老のおにがら焼と茶碗蒸し、四つずつ、此所で出来なければ、外へ電話を掛けてとって下さい。それから、お酒。」

母はわきで聞いてはらはらして、「いらないよ、そんなに沢山。無駄なことは、およしなさい。」と私のやり切れなかった心も知らず、まじめに言うので、私はいよいよやりきれなく、この世で一ばんしょげてしまいました。

# 清貧譚

以下に記すのは、かの聊斎志異の中の一篇である。原文は、千八百三十四字、之を私たちの普通用いている四百字詰の原稿用紙に書き写しても、わずかに四枚半くらいの、極く短い小片に過ぎないのであるが、読んでいるうちに様々の空想が湧いて出て、優に三十枚前後の好短篇を読了した時と同じくらいの満酌の感を覚えるのである。私は、この四枚半の小片にまつわる私の様々の空想を、そのまま書いてみたいのである。このような仕草が果して創作の本道かどうか、それには議論もある事であろうが、聊斎志異の中の物語は、文学の古典というよりは、故土の口碑に近いものだと私は思っているので、その古い物語を骨子として、二十世紀の日本の作家が、不逞の空想を案配し、かねて自己の感懐を託し以て創作也と読者にすすめても、あながち深い罪にはなるまいと考えられる。私の新体制も、ロマンチシズムの発掘以外には無いようだ。

むかし江戸、向島あたりに馬山才之助という、つまらない名前の男が住んでいた。ひどく貧乏である。三十二歳、独身である。菊の花が好きであった。佳い菊の苗が、どこかに在ると聞けば、どのような無理算段をしても、必ず之を買い求めた。千里をはばからず、と記されてあるから相当のものである事がわかる。初秋のころ、伊豆の沼津あたりに佳い苗があるということを聞いて、たちまち旅装をととのえ、顔色を変えて発足した。箱根の山を越え、沼津に到り、四方八方捜しまわり、やっと一つ、二つの美事な苗を手に入れる事が出来、そいつを宝物のように大事に油紙に包んで、にやりと笑って帰途についた。ふたたび箱根の山を越え、小田原のまちが眼下に展開して来た頃に、ぱかぱかと背後に馬蹄の音が聞えた。ゆるい足並で、その馬蹄の音が、いつまでも自分と同じ間隔を保ったままで、それ以上ちかく迫るでもなし、また遠のきもせず、変らずぱかぱか附いて来る。才之助は、菊の良種を得た事で、有頂天なのだから、そんな馬の足音なぞは気にしない。けれども、小田原を過ぎ二里行き、三里行き、四里行っても、相変らず同じ間隔で、ぱかぱかと馬蹄の音が附いて来る。才之助も、はじめて少し変だと気が附いて、振りかえって見ると、美しい少年が奇妙に痩せた馬に乗り、自分から十間と離れていないところを歩いている。才之助の顔を見て、にっと笑ったようである。知らぬふりをしているのも悪いと思って、才之助も、ちょっと立ちどまって笑い返した。少年は、近寄って馬から下り、

「いいお天気ですね。」と言った。

「いいお天気です。」才之助も賛成した。

少年は馬をひいて、そろそろ歩き出した。才之助も、少年と肩をならべて歩いた。よく見ると少年は、武家の育ちでも無いようであるが、それでも人品は、どこやら典雅で服装も小ざっぱりしている。物腰が、鷹揚である。

「江戸へ、おいでになりますか。」と、ひどく馴れ馴れしい口調で問いかけて来るので、才之助もそれにつられて気をゆるし、

「はい、江戸へ帰ります。」

「江戸のおかたですね。どちらからのお帰りですか。」旅の話は、きまっている。それからそれと問い答え、ついに才之助は、こんどの旅行の目的全部を語って聞かせた。少年は急に目を輝かせて、

「そうですか。菊がお好きとは、たのもしい事です。菊に就いては、私にも、いささか心得があります。菊は苗の良し悪しよりも、手当の仕方ですよ。」と言って、自分の栽培の仕方を少し語った。菊気違いの才之助は、たちまち熱中して、

「そうですかね。私は、やっぱり苗が良くなくちゃいけないと思っているんですが。たとえば、ですね、――」と、かねて抱懐している該博なる菊の知識を披露しはじめた。少年は、あらわ

に反対はしなかったが、でも、時々さしはさむ簡単な疑問の呟きの底には、並々ならぬ深い経験が感取せられるので、才之助は、躍起になって言えば言うほど、自信を失い、はては泣き声になり、

「もう、私は何も言いません。理論なんて、ばからしいですよ。実際、私の家の菊の苗を、お見せするより他はありません。」

「それは、そうです。」少年は落ちついて首肯いた。才之助は、やり切れない思いである。何とかして、この少年に、自分の庭の菊を見せてやって、あっと言わせてやりたく、むずむず身悶えしていた。

「それじゃ、どうです。」才之助は、もはや思慮分別を失っていた。「これから、まっすぐに、江戸の私の家まで一緒にいらして下さいませんか。ひとめでいいから、私の菊を見てもらいたいものです。ぜひ、そうしていただきたい。」

少年は笑って、

「私たちは、そんなのんきな身分ではありません。これから江戸へ出て、つとめ口を捜さなければいけません。」

「そんな事は、なんでもない。」才之助は、すでに騎虎の勢いである。「まず私の家へいらして、ゆっくり休んで、それからお捜しになったっておそくは無い。とにかく私の家の菊を、いちど

御覧にならなくちゃいけません。」

「これは、たいへんな事になりました。」少年は、もはや笑わず、まじめな顔をして考え込んだ。しばらく黙って歩いてから、ふっと顔を挙げ、「実は、私たち沼津の者で、私の名前は、陶本(とうもと)三郎と申しますが、早くから父母を失い、姉と二人きりで暮していました。このごろになって急に姉が、沼津をいやがりまして、どうしても江戸へ出たいと言いますので、私たちは身のまわりのものを一さい整理して、ただいま江戸へ上る途中なのです。江戸へ出たところで、何の目当もございませんし、思えば心細い旅なのです。のんきに菊の花など議論している場合じゃ無かったのでした。私も菊の花は、いやでないものですから、つい、余計のおしゃべりをしてしまいました。もう、よしましょう。どうか、あなたも忘れて下さい。これで、おわかれ致します。考えてみると、いまの私たちは、菊の花どころでは無かったのです。」と淋(さび)しそうな口調で言って目礼し、傍の馬に乗ろうとしたが、才之助は固く少年の袖をとらえて、

「待ち給(たま)え。そんな事なら、なおさら私の家へ来てもらわなくちゃいかん。くよくよし給うな。私だって、ひどく貧乏だが、君たちを世話する事ぐらいは出来るつもりです。まあ、いいから私に任せて下さい。姉さんも一緒だとおっしゃったが、どこにいるんです。」

　見渡すと、先刻気附かなかったが、瘦馬の蔭に、ちらと赤い旅装の娘のいるのが、わかった。才之助は、顔をあからめた。

才之助の熱心な申し入れを拒否しかねて、姉と弟は、とうとうかれの向島の陋屋に一まず世話になる事になった。来てみると、才之助の家は、かれの話以上に貧しく荒れはてているので、姉弟は、互いに顔を見合せて溜息をついた。才之助は、一向平気で、旅装もほどかず何よりも先に、自分の菊畑に案内し、いろいろ自慢して、それから菊畑の中の納屋を姉弟たちの当分の住居として指定してやったのである。かれの寝起きしている母屋は汚くて、それこそ足の踏み場も無いほど頽廃していて、むしろ此の納屋のほうが、ずっと住みよいくらいなのである。

「姉さん、これあいけない。とんだ人のところに世話になっちゃったね。」陶本の弟は、その納屋で旅装を解きながら、姉に小声で囁いた。

「ええ、」姉は微笑して、「でも、のんきでかえっていいわ。庭も広いようだし、これからお前が、せいぜい佳い菊を植えてあげて、御恩報じをしたらいいのよ。」

「おやおや、姉さんは、こんなところに、ずっと永く居るつもりなのですか？」

「そうよ。私は、ここが気に入ったわ。」と言って顔を赤くした。姉は、二十歳くらいで、色が溶けるほど白く、姿もすらりとしていた。

その翌朝、才之助と陶本の弟とは、もう議論をはじめていた。姉弟たちが代る代る乗って、ここまで連れて来たあの老いた痩馬がいなくなっているのである。ゆうべたしかに菊畑の隅に、つないで置いた筈なのに、けさ、才之助が起きて、まず菊の様子を見に畑へ出たら、馬はいない。しかも、畑を大いに走り廻ったらしく、菊は食い荒され、痛めつけられ、さんざんである。才之助は仰天して、納屋の戸を叩いた。弟が、すぐに出て来た。

「どうなさいました。何か御用ですか。」

「見て下さい。あなたたちの痩馬が、私の畑を滅茶滅茶にしてしまいました。私は、死にたいくらいです。」

「なるほど。」少年は、落ちついていた。「それで？　馬は、どうしました。」

「馬なんか、どうだっていい。逃げちゃったんでしょう。」

「それは、惜しい。」

「何を、おっしゃる。あんな痩馬。」

「痩馬とは、ひどい。あれは、利巧な馬です。すぐ様さがしに行って来ましょう。こんな菊畑なんか、どうでもいい。」

「なんですって？」才之助は、蒼(あお)くなって叫んだ。「君は、私の菊畑を侮蔑(ぶべつ)するのですか？」

姉が、納屋から、幽(かす)かに笑いながら出て来た。

「三郎や、あやまりなさい。あんな痩馬は、惜しくありません。私が、逃がしてやったのです。それよりも、この荒らされた菊畑を、すぐに手入れしておあげなさいよ。御恩報じの、いい機会じゃないの。」

「なあんだ。」三郎は、深い溜息をついて、小声で呟いた。「そんなつもりだったのかい。」

弟は、渋々、菊畑の手入れに取りかかった。見ていると、葉を喰いちぎられ、打ち倒され、もはや枯死(こし)しかけている菊も、三郎の手に依って植え直されると、颯(さ)っと生気を恢復(かいふく)し、茎はたっぷりと水分を含み、花の蕾(つぼみ)は重く柔かに、しおれた葉さえ徐々にその静脈に波打たせて伸腰(しんよう)する。才之助は、ひそかに舌を捲(ま)いた。けれども、かれとても菊作りの志士である。プライドがあるのだ。どてらの襟(えり)を掻(か)き合せ、努めて冷然と、

「まあ、いいようにして置いて下さい。」と言い放って母屋へ引き上げ、蒲団かぶって寝てしまったが、すぐに起き上り、雨戸の隙間から、そっと畑を覗いてみた。菊は、やはり凜乎(りんこ)と生き返っていた。

その夜、陶本三郎が、笑いながら母屋へやって来て、

「どうも、けさほどは失礼いたしました。ところで、どうです。いまも姉と話合った事でしたが、お見受けしたところ、失礼ながら、あまり楽なお暮しでもないようですし、私に半分でも畑をお貸し下されば、いい菊を作って差し上げましょうから、それを浅草あたりへ持ち出してお売りになったら、よろしいではありませんか。ひとつ、大いに佳い菊を作って差し上げたいと思います。」

才之助は、けさは少なからず、菊作りとしての自尊心を傷つけられている事とて、不機嫌で

あった。

「お断り申す。君も、卑劣な男だねえ。」と、ここぞとばかり口をゆがめて軽蔑した。「私は、君を、風流な高士だとばかり思っていたが、いや、これは案外だ。おのれの愛する花を売って米塩の資を得る等とは、もっての他です。菊を凌辱するとは、この事です。おのれの高い趣味を、金銭に換えるなぞとは、ああ、けがらわしい、お断り申す。」と、まるで、さむらいのような口調で言った。

三郎も、むっとした様子で、語調を変えて、

「天から貰った自分の実力で米塩の資を得る事は、必ずしも富をむさぼる悪業では無いと思います。俗といって軽蔑するのは、間違いです。お坊ちゃんの言う事です。いい気なものです。人は、むやみに金を欲しがってもいけないが、けれども、やたらに貧乏を誇るのも、いやみな事です。」

「私は、いつ貧乏を誇りました。私には、祖先からの多少の遺産もあるのです。自分ひとりの生活には、それで充分なのです。これ以上の富は望みません。よけいな、おせっかいは、やめて下さい。」

またもや、議論になってしまった。

「それは、狷介というものです。」

「狷介、結構です。お坊ちゃんでも、かまいません。私は、私の菊と喜怒哀楽を共にして生きて行くだけです。」

「それは、わかりました。」三郎は、苦笑して首肯いた。「ところで、どうでしょう。あの納屋の裏のほうに、十坪ばかりの空地がありますが、あれだけでも、私たちに、しばらく拝借ねがえないでしょうか。」

「私は物惜しみをする男ではありません。納屋の裏の空地だけでは不足でしょう。私の菊畑の半分は、まだ何も植えていませんから、その半分もお貸し致しましょう。ご自由にお使い下さい。なお断って置きますが、私は、菊を作って売ろう等という下心のある人たちとは、おつき合い致しかねますから、きょうからは、他人と思っていただきます。」

「承知いたしました。」三郎は大いに閉口の様子である。「お言葉に甘えて、それでは畑も半分だけお借りしましょう。なお、あの納屋の裏に、菊の屑の苗が、たくさん捨てられて在りますけれど、あれも頂戴いたします。」

「そんなつまらぬ事を、いちいちおっしゃらなくてもよろしい。」

不和のままで、わかれた。その翌る日、才之助は、さっさと畑を二つにわけて、その境界に高い生垣を作り、お互いに見えないようにしてしまった。両家は、絶交したのである。

やがて、秋たけなわの頃、才之助の畑の菊も、すべて美事な花を開いたが、どうも、お隣りの畑のほうが気になって、或る日、そっと覗いてみると、驚いた。いままで見た事もないような大きな花が畑一めんに、咲き揃っている。納屋も小綺麗に修理されていて、さも居心地よさそうなしゃれた構えの家になっている。才之助は、心中おだやかでなかった。菊の花は、あきらかに才之助の負けである。しかも瀟洒な家さえ建てている。きっと菊を売って、大いにお金をもうけたのにちがいない。けしからぬ。こらしめてやろうと、義憤やら嫉妬やら、さまざまの感情が怪しくごたごた胸をゆすぶり、いたたまらなくなって、ついに生垣を乗り越え、お隣りの庭に闖入してしまったのである。花一つ一つを、見れば見るほど、よく出来ている。花弁の肉も厚く、力強く伸び、精一ぱいに開いて、花輪は、ぷりぷり震えているほどで、いのち限りに咲いているのだ。なお注意して見ると、それは皆、自分が納屋の裏に捨てた、あの屑の苗から咲いた花なのである。

「ううむ。」と思わず唸ってしまった時、

「いらっしゃい。お待ちしていました。」と背後から声をかけられ、へどもどして振り向くと、陶本の弟が、にこにこ笑いながら立っている。

「負けました。」才之助は、やけくそに似た大きい声で言った。「私は潔よい男ですからね、負けた時には、はっきり、負けたと申し上げます。どうか、君の弟子にして下さい。これまでの行きがかりは、さらりと、」と言って自分の胸を撫で下ろして見せて、「さらりと水に流す事に致しましょう。けれども、――」

「いや、そのさきは、おっしゃらないで下さい。私は、あなたのような潔癖の精神は持っていませんので、御推察のとおり、菊を少しずつ売って居ります。けれども、どうか軽蔑なさらないで下さい。姉も、いつもその事を気にかけて居ります。私たちだって、精一ぱいなのです。私たちには、あなたのように、父祖の遺産というものもございませんし、ほんとうに、菊でも売らなければ、のたれ死にするばかりなのです。どうか、お見逃し下さって、これを機会に、またおつき合いを願います。」と言って、うなだれている三郎の姿を見ると、才之助も哀れになって来て、

「いや、いや、そう言われると痛み入ります。私だって、何も、君たち姉弟を嫌っているわけではないのです。殊に、これからは君を菊の先生として、いろいろ教えてもらおうと思っているのですから、どうか、私こそ、よろしくお願い致します。」と神妙に言って一礼した。

一たんは和解成って、間の生垣も取り払われ、両家の往来がはじまったのであるが、どうも、時々は議論が起る。

「君の菊の花の作り方には、なんだか秘密があるようだ。」

「そんな事は、ありません。私は、これまで全部あなたにお伝えした筈です。あとは、指先の神秘です。それは、私にとっても無意識なもので、なんと言ってお伝えしたらいいのか、私に

もわかりません。つまり、才能というものなのかも知れません。」

「それじゃ、君は天才で、私は鈍才だというわけだね。いくら教えても、だめだというわけだね。」

「そんな事を、おっしゃっては困ります。或いは、私の菊作りは、いのちがけで、之(これ)を美事に作って売らなければ、ごはんをいただく事が出来ないのだという、そんなせっぱつまった気持で作るから、花も大きくなるのではないかとも思われます。あなたのように、趣味でお作りになる方は、やはり好奇心や、自負心の満足だけなのですから。」

「そうですか。私にも菊を売れと言うのですね。君は、私にそんな卑(いや)しい事をすすめて、恥ずかしくないかね。」

「いいえ、そんな事を言っているのではありません。あなたは、どうして、そうなんでしょう。」


どうも、しっくり行かなかった。陶本の家は、いよいよ富んで行くばかりの様であった。その翌(あく)る年の正月には、才之助に一言の相談もせず、大工を呼んでいきなり大邸宅の建築に取りかかった。その邸宅の一端は、才之助の茅屋(ぼうおく)の一端に、ほとんど密着するくらいであった。才之助は、再び隣家と絶交しようと思いはじめた。或る日、三郎が真面目な顔をしてやって来て、

「姉さんと結婚して下さい。」と思いつめたような口調で言った。

才之助は、頰を赤らめた。はじめ、ちらと見た時から、あの柔かな清らかさを忘れかねていたのである。けれども、やはり男の意地で、へんな議論をはじめてしまった。

「私には結納のお金も無いし、妻を迎える資格がありません。君たちは、このごろ、お金持ちになったようだからねえ。」と、かえって厭味を言った。

「いいえ、みんな、あなたのものです。姉は、はじめから、そのつもりでいたのです。結納なんてものも要りません。あなたが、このまま、私の家へおいで下されたら、それでいいのです。姉は、あなたを、お慕い申して居ります。」

才之助は、狼狽を押し隠して、

「いや、そんな事は、どうでもいい。私には私の家があります。入り婿は、まっぴらです。私も正直に言いますが、君の姉さんを嫌いではありません。ははは、」と豪傑らしく笑って見せて、「けれども、入り婿は、男子として最も恥ずべき事です。お断り致します。帰って姉さんに、そう言いなさい。清貧が、いやでなかったら、いらっしゃい、と。」

喧嘩わかれになってしまった。けれどもその夜、才之助の汚い寝所に、ひらりと風に乗って白い柔い蝶が忍び入った。

「清貧は、いやじゃないわ。」と言って、くつくつ笑った。娘の名は、黄英といった。

しばらく二人で、茅屋に住んでいたが、黄英は、やがてその茅屋の壁に穴をあけ、それに密着している陶本の家の壁にも同様に穴を穿ち、自由に両家が交通できるようにしてしまった。そうして自分の家から、あれこれと必要な道具を、才之助の家に持ち運んで来るのである。才之助には、それが気になってならなかった。

「困るね。この火鉢だって、この花瓶だって、みんなお前の家のものじゃないか。女房の持ち物を、亭主が使うのは、実に面目ない事なのだ。こんなものは、持って来ないようにしてくれ。」と言って叱りつけても、黄英は笑っているばかりで、やはり、ちょいちょい持ち運んで来る。清廉の士を以て任じている才之助は、大きい帳面を作り、左の品々一時お預り申候と書いて、黄英の運んで来る道具をいちいち記入して置く事にした。けれども今は、身のまわりの物すべて、黄英の道具である。いちいち記入して行くならば、帳面が何冊あっても足りないくらいであった。才之助は絶望した。

「お前のおかげで、私もとうとう髪結いの亭主みたいになってしまった。女房のおかげで、家が豊かになるという事は男子として最大の不名誉なのだ。私の三十年の清貧も、お前たちの為に滅茶滅茶にされてしまった。」と或る夜、しみじみ愚痴をこぼした。黄英も、流石に淋しそうな顔になって、

「私が悪かったのかも知れません。私は、ただ、あなたの御情にお報いしたくて、いろいろ心をくだいて今まで取計って来たのですが、あなたが、それほど深く清貧に志して居られるとは

存じ寄りませんでした。では、この家の道具も、私の新築の家も、みんなすぐ売り払うようにしましょう。そのお金を、あなたがお好きなように使ってしまって下さい。」

「ばかな事を言っては、いけない。私ともあろうものが、そんな不浄なお金を受け取ると思うか。」

「では、どうしたら、いいのでしょう。」黄英は、泣声になって、「三郎だって、あなたに御恩報じをしようと思って、毎日、菊作りに精出して、ほうぼうのお屋敷にせっせと苗をおとどけしてはお金をもうけているのです。どうしたら、いいのでしょう。あなたと私たちとは、まるで考えかたが、あべこべなんですもの。」

「わかれるより他は無い。」才之助は、言葉の行きがかりから、更に更に立派な事を言わなければならなくなって、心にもないつらい宣言をしたのである。「清い者は清く、濁れる者は濁ったままで暮して行くより他は無い。私には、人にかれこれ命令する権利は無い。私がこの家を出て行きましょう。あしたから、私はあの庭の隅に小屋を作って、そこで清貧を楽しみながら寝起きする事に致します。」ばかな事になってしまった。けれども男子は一度言い出したからには、のっぴきならず、翌る朝さっそく庭の隅に一坪ほどの掛小屋を作って、そこに引きこもり、寒さに震えながら正座していた。けれども、二晩そこで清貧を楽しんでいたら、どうにも寒くて、たまらなくなって来た。三晩目には、とうとう我が家の雨戸を軽く叩いたのである。

雨戸が細くあいて、黄英の白い笑顔があらわれ、

「あなたの潔癖も、あてになりませんわね。」

才之助は、深く恥じた。それからは、ちっとも剛情を言わなくなった。墨堤の桜が咲きはじめる頃になって、陶本の家の建築は全く成り、そうして才之助の家と、ぴったり密着して、もう両家の区別がわからないようになった。才之助は、いまはそんな事には少しも口出しせず、すべて黄英と三郎に任せ、自分は近所の者と将棊ばかりさしていた。一日、一家三人、墨堤の桜を見に出かけた。ほどよいところに重箱をひろげ、才之助は持参の酒を飲みはじめ、三郎にもすすめた。姉は、三郎に飲んではいけないと目で知らせたが、三郎は平気で杯を受けた。

「姉さん、もう私は酒を飲んでもいいのだよ。家にお金も、たくさんたまったし、私がいなくなっても、もう姉さんたちは一生あそんで暮せるでしょう。菊を作るのにも、厭きちゃった。」

と妙な事を言って、やたらに酒を飲むのである。やがて酔いつぶれて、寝ころんだ。みるみる三郎のからだは溶けて、煙となり、あとには着物と草履だけが残った。才之助は驚愕して、着物を抱き上げたら、その下の土に、水々しい菊の苗が一本生えていた。はじめて、陶本姉弟が、人間でない事を知った。けれども、才之助は、いまでは全く姉弟の才能と愛情に敬服していたのだから、嫌厭の情は起らなかった。哀しい菊の精の黄英を、いよいよ深く愛したのである。かの三郎の菊の苗は、わが庭に移し植えられ、秋にいたって花を開いたが、その花は薄紅色で

幽かにぽっと上気して、嗅いでみると酒の匂いがした。黄英のからだに就いては、「亦他異無し。」と原文に書かれてある。つまり、いつまでもふつうの女体のままであったのである。

# 帰去来



人の世話にばかりなって来ました。これからもおそらくは、そんな事だろう。みんなに大事にされて、そうして、のほほん顔で、生きて来ました。これからも、やっぱり、のほほん顔で生きて行くのかも知れない。そうして、そのかずかずの大恩に報いる事は、おそらく死ぬまで、出来ないのではあるまいか、と思えば流石(さすが)に少し、つらいのである。

実に多くの人の世話になった。本当に世話になった。

このたびは、北さんと中畑さんと二人だけの事を書いて置くつもりであるが、他の大恩人の事も、私がもすこし佳(よ)い仕事が出来るようになってから順々に書いてみたいと思っている。今はまだ、書きかたが下手だから、ややこしい関係の事など、どうしても、うまく書けないのではあるまいかというような気がするのであるが、その点、北さんと中畑さんの事ならば、いまの私の力でもってしても、わりあい正確に書けるのではなかろうかと思うのである。それは、どちらかと言えば、単純な、明白な関係だからである。けれども、実在の、つつましい生活人を描くに当って、それ相応のこまかい心遣いの必要な事も無論である。あの人たちには、私の描写に対して訂正を申込み給う機会さえ無いのだから。

私は絶対に嘘(うそ)を書いてはいけない。

中畑さんも北さんも、共に、かれこれ五十歳。中畑さんのほうが、一つか二つ若いかも知れない。中畑さんは、私の死んだ父に、愛されていたようだ。私の町から三里ほど離れた五所川原(ごしょがわら)という町の古い呉服屋の、番頭さんであったのだが、しじゅう私の家へやって来ては、何かと家の用事までしてくれていたようである。私の父は中畑さんを「そうもく」と呼んでいた。つまり、中畑さんには少しも色気が無くて、三十歳ちかくなってもお嫁さんをもらおうとしないのを、からかって「草木」などと呼んでいたものらしい。とうとう、私の父が世話して、私の家と遠縁の佳いお嬢さんをもらってあげた。中畑さんは、間もなく独立して呉服商を営み、成功して、いまでは五所川原町の名士である。この中畑さん御一家に、私はこの十年間、御心配やら御迷惑やら、実にお手数をかけてしまった。私が十歳の頃、五所川原の叔母(おば)の家に遊びに行き、ひとりで町を歩いていたら、

「修ッちゃあ!」と大声で呼ばれて、びっくりした。中畑さんが、その辺の呉服屋の奥から叫んだのである。だし抜けだったので、私は、実にびっくりした。中畑さんが、そのような呉服

屋に勤めているのを私は、その時まで知らなかったのである。中畑さんは、その薄暗い店に坐っていて、ポンポンと手を拍って、それから手招きしたけれども、私はあんなに大声で私の名前を呼ばれたのが恥ずかしくて逃げてしまった。私の本名は、修治というのである。

中畑さんに思いがけなく呼びかけられてびっくりした経験は、中学時代にも、一度ある。青森中学二年の頃だったと思う。朝、登校の途中、一個小隊くらいの兵士とすれちがった時、思いがけなく大声で、

「修ッちゃあ！」と呼ばれて仰天した。中畑さんが銃を担いで歩いているのである。帽子をあみだにかぶっていた。予備兵の演習召集か何かで訓練を受けていたのであろう。中畑さんが兵隊だったとは、実に意外で、私は、しどろもどろになった。中畑さんは、平気でにこにこ笑い、ちょっと列から離れかけたので私は、いよいよ狼狽して、顔が耳元まで熱くなって逃げてしまった。他の兵隊さんの笑い声も聞えた。

その、呼びかけられた二つの記憶を、私は、いつまでも大事にしまって置きたいと思っている。

昭和五年に東京の大学へはいって、それからは、もう中畑さんは私にとって、なくてはならぬ人になってしまっていた。中畑さんも既に独立して呉服商を営み、月に一度ずつ東京へ仕入れに出て来て、その度毎に私のところへこっそり立ち寄ってくれるのである。当時、私は或る

女の人と一軒、家を持っていて、故郷の人たちとは音信不通になっていたのであるが、中畑さんは、私の老母などからひそかに頼まれて、何かと間を取りついでくれていたのである。私も、女も、中畑さんの厚情に甘えて、矢鱈に我儘を言い、実にさまざまの事をたのんだのである。その頃の事情を最も端的に説明している一文が、いま私の手許にあるのでそれを紹介しよう。これは私の創作「虚構の春」のおしまいの部分に載っている手紙文であるが、もちろん虚構の手紙である。けれども事実に於いて大いに相違があっても、雰囲気に於いては、真実に近いものがあると言ってよいと思う。或る人（決して中畑さんではない）その人から私によこした手紙のような形式になっているのであるが、もちろん之は事実に於いては根も葉も無いことで、中畑さんはこんな奇妙な手紙など本当に一度だってお書きになった事は無いので、これは全部、私自身が捏造した「小説」に過ぎないのだという事は繰りかえし念を押して、左にその一文を紹介しよう。私がどんなに生意気に思い上って、みんなに迷惑をおかけしていたかという事さえ、わかっていただけたらいいのである。

「先日、（二十三日）お母上様のお言いつけにより、お正月用の餅と塩引、一包、キウリ一樽お送り申し上げましたところ、御手紙に依れば、キウリ不着の趣き御手数ながら御地停車場を御調べ申し御返事願上候、以上は奥様へ御申伝え下されたく、以下、二三言、私、明けて二十八年間、十六歳の秋より四十四歳の現在まで、津島家出入りの貧しき商人、全く無学の者に候が、御無礼せんえつ、わきまえつつの苦言、いまは延々すべき時に非ずと心得られ候まま、汗顔平伏、お耳につらきこと開陳、暫時、おゆるし被下度候。噂に依れば、このごろ又々、借銭の悪癖萌え出で、一面識なき名士などにまで、借銭の御申込、しかも犬の如き哀訴歎願、おまけに断絶を食い、てんとして恥じず、借銭どこが悪い、お約束の如くに他日返却すれば、向うさまへも、ごめいわくは無し、こちらも一命たすかる思い、どこがわるい、と先日も、それがために奥様へ火鉢投じて、ガラス戸二枚破損の由、話、半分としても暗涙とどむる術ございませぬ。貴族院議員、勲二等の御家柄、貴方がた文学者にとっては何も誇るべき筋みちのものに無之、古くさきものに相違なしと存じられ候が、お父上おなくなりのちの天地一人のお母上様を思い、私めに顔たてさせ然るべしと存じ候。『われひとりを悪者として勘当除籍、家郷追放の現在、いよいよわれのみをあしざまにののしり、それがために四方八方うまく治まり居る様子』などのお言葉、おうらめしく存じあげ候。今しばし、お名あがり家ととのうたるのちは、御兄上様御姉上様、何条もってあしざまに申しましょうや。必ずその様の曲解、御無用に被存候。先日も、山木田様へお嫁ぎの菊子姉上様より、しんからのおなげき承り、私、芝居のようなれども、政岡の大役をお引き受け申し、きらいのお方なれば、たとえ御主人筋にても、かほどの世話はごめんにて、私のみに非ず、菊子姉上様も、貴方へのお世話のため、御嫁先の立場も困ることあるべしと存じられ候ところも、むりしての御奉仕ゆえ、本日かぎりよそからの借銭は必ず必ず思いとどまるよう、万やむを得ぬ場合は、当方へ御申越願度く、でき得る限りの御辛抱ねがいたく、このこと兄上様へ知れると一大事につき、今回の所は私が一時御立替御用立申上候間、此の点お含み置かれるよう願上候。重ねて申しあげ候が、私とて、きらいのお方には、かれこれうるさく申し上げませぬ、このことお含みの上、御養生、御自愛、まことに願上候。」

昭和十一年の初夏に、私のはじめての創作集が出版せられて、友人たちは私のためにその祝賀会を、上野の精養軒でひらいてくれた。私は中畑さんに着物をねだった。偶然その三日前に中畑さんは東京へ出て来て、私のところへも立ち寄ってくれた。私は中畑さんに着物をねだった。最上等の麻の着物と、縫紋の羽織と夏袴と、角帯、長襦袢、白足袋、全部そろえて下さいと願ったのだが、中畑さんも当惑の様子であった。とても間に合いません。袴や帯は、すぐにととのえる事も出来ますが、着物や襦袢はこれから柄を見たてて仕立てさせなければいけないのだし、と中畑さんが言うのにおっかぶせて、出来ますよ、出来ますよ、三越かどこかの大きい呉服屋にたのんでごらん、一昼夜で縫ってくれます、裁縫師が十人も二十人もかかって一つの着物を縫うのですから、すぐに出来ます、東京では、なんでも、出来ないって事はないんだ、と、ろくに知りもせぬ事を自信たっぷりで言うのである。とうとう中畑さんも、それではやってみます、と言った。三日目の、その祝賀会の朝、私の注文の品が全部、或る呉服屋からとどけられた。すべて、上質のものであった。今後あのように上質な着物を着る事は私には永久に無いであろう。私はそれを着て、祝賀会に出席した。羽織は、それを着ると芸人じみるので、惜しかったけれど、着用しなかった。会の翌日、私はその品物全部を質屋へ持って行った。そうして、とうとう流してしまったのである。

この会には、中畑さんと北さんにも是非出席なさるようにすすめたのだが、お二人とも出席しなかった。遠慮したのかも知れない。あるいは御商売がいそがしく、そのひまが無かったのかも知れない。私は中畑さんと北さんに私の佳い先輩、友人たちを見せて、お二人に安心させたいと思っていたのだが、それも、私のいい気な思い上りかも知れなかった。そんな祝賀会をお見せしたって、中畑さんも北さんも安心するどころか、いよいよ私の将来についてハラハラするだけの事かも知れなかった。

私は北さんにも、実に心配をおかけしていた。北さんは東京、品川区の洋服屋さんである。洋服屋さんといっても、ただの洋服屋さんではない。変っている。お家は、普通の邸宅である。看板も、飾窓も無い。そうして奥の一部屋で熟練のお弟子が二人、ミシンをカタカタと動かしている。北さんは、特定のおとくいさんの洋服だけを作るのだ。名人気質の、わがままな人である。富貴も淫する能わずといったようなところがあった。私の父も、また兄も、洋服は北さんに作ってもらう事にきめていたようである。私が東京の大学へはいってから、北さんは、もっぱら私を監督した。そうして私は、北さんを欺いてばかりいた。ひどい悪い事を、次々とやらかすので、ついには北さんのお宅の二階に押し込められて、しばらく居候のような生活をせざるを得なくなった事さえあった。故郷の兄は私のだらし無さに呆れて、時々送金を停止しかけるのであるが、その度毎に北さんは中へはいって、もう一年、送金をたのみます、と兄へ談判してくれるのであった。一緒にいた女の人と、私は別れる事になったのであるが、その時にも実に北さんにお手数をかけた。いちいちとても数え切れない。私の実感を以て言うならば、およそ二十の長篇小説を書き上げるくらいの御苦労をおかけしたのである。そうして私は相変らずの、のほほん顔で、ただ世話に成りっ放し、身のまわりの些細の事さえ、自分で仕様とはしないのだ。

三十歳のお正月に、私は現在の妻と結婚式を挙げたのであるが、その時にも、すべて中畑さんと北さんのお世話になってしまった。当時、私はほとんど無一文といっていい状態であった。結納金は二十円、それも或る先輩からお借りしたものである。挙式の費用など、てんで、どこからも捻出の仕様が無かったのである。当時、私は甲府市に小さい家を借りて住んでいたのであるが、その結婚式の日に普段着のままで、東京のその先輩のお宅へ参上したのである。その先輩のお宅で嫁と逢って、そうして先輩から、おさかずきを頂戴して、嫁を連れて甲府へ帰るという手筈であった。北さん、中畑さんも、その日、私の親がわりとして立会って下さる事になっていた。私は朝早く甲府を出発して、昼頃、先輩のお宅へ到着した。私は本当に、普段着のままで、散髪もせず、袴もはいていなかった。着のみ着のままの状態だったし、懐中も無一文に近かった。先輩は書斎で静かにお仕事をして居られた。（先輩というのは、実は○○先生なのだが、○○先生は、小説や随筆にお名前を出されるのを、かねがねとてもいやがって居られるので、わざと先輩という失礼な普通名詞を使用するのである。）先輩は、結婚式も何も忘れてしまっているような様子であった。原稿用紙を片づけながら、庭の樹木の事など私に説明して聞かせた。それから、ふっと気がついたように、

「着物が来ている。中畑さんから送って来たのだ。なんだか、いい着物らしいよ。」と言った。黒羽二重の紋服一かさね、それに袴と、それから別に絹の縞の着物が一かさね、少しも予期していないものだった。私は、呆然とした。ただその先輩から、結婚のしるしの盃をいただいて、そうして、そのまま嫁を連れて帰ろうと思っていたのだ。やがて、中畑さんと北さんが、笑いながらそろってやって来た。中畑さんは国民服、北さんはモーニング。

「はじめましょう、はじめましょう。」と中畑さんは気が早い。

その日の料理も、本式の会席膳で鯛なども附いていた。私は紋服を着せられた。記念の写真もうつした。

「修治さん、ちょっと。」中畑さんは私を隣室へ連れて行った。そこには、北さんもいた。

私を坐らせて、それからお二人も私の前にきちんと坐って、そろってお辞儀をして、

「今日は、おめでとうございます。」と言った。それから中畑さんが、

「きょうの料理は、まずしい料理で失礼ですが、これは北さんと私とが、修治さんのために、まかなったものですから、安心してお受けなさって下さい。私たちも、先代以来なみなみならぬお世話になって居りますから、こんな機会に少しでもお報いしたいと思っているのです。」

と、真面目に言った。

私は、忘れまいと思った。

「中畑さんのお骨折りです。」北さんは、いつでも功を中畑さんにゆずるのだ。「このたびの着物も袴も、中畑さんがあなたの御親戚をあちこち駈け廻って、ほうぼうから寄附を集めて作って下さったのですよ。まあ、しっかりおやりなさい。」

その夜おそく、私は嫁を連れて新宿発の汽車で帰る事になったのだが、私はその時、洒落(しゃれ)や冗談でなく、懐中に二円くらいしか持っていなかったのだ。お金というものは、無い時には、まるで無いものだ。まさかの時には私は、あの二十円の結納金の半分をかえしてもらうつもりでいた。十円あったら、甲府までの切符は二枚買える。

先輩の家を出る時、私は北さんに、「結納金を半分、かえしてもらえねえかな。」と小声で言った。「あてにしていたんだ。」

その時、北さんは実に怒った。

「何をおっしゃる！　あなたは、それだから、いけない。なんて事を考えているんだ。あなたは、それだから、いけない。少しも、よくなっていないじゃないですか。そんな事を言うなんて、まるでだめじゃないですか。」そう言って御自分の財布から、すらりすらりと紙幣を抜き取り、そっと私に手渡した。

けれども新宿駅で私が切符を買おうとしたら、すでに嫁の姉夫婦が私たちの切符（二等の切符であった）を買ってくれていたので、私にはお金が何も要らなくなった。

プラットホームで私は北さんにお金を返そうとしたら、北さんは、

「はなむけ、はなむけ。」と言って手を振った。綺麗なものだった。

結婚後、私にも、そんなに大きい間違いが無く、それから一年経って甲府の家を引きはらって、東京市外の三鷹町に、六畳、四畳半、三畳の家を借り、神妙に小説を書いて、二年後には女の子が生れた。北さんも中畑さんもよろこんで、立派な産衣を持って来て下さった。

今は、北さんも中畑さんも、私に就いて、やや安心をしている様子で、以前のように、ちょいちょいおいでになって、あれこれ指図をなさるような事は無くなった。けれども、私自身は、以前と少しも変らず、やっぱり苦しい、せっぱつまった一日一日を送り迎えしているのであるから、北さん中畑さんが来なくなったのは、なんだか淋しいのである。来ていただきたいので

ある。昨年の夏、北さんが雨の中を長靴はいて、ひょっこりおいでになった。

私は早速、三鷹の馴染(なじみ)のトンカツ屋に案内した。そこの女のひとが、私たちのテエブルに寄って来て、私の事を先生と呼んだので、私は北さんの手前もあり甚(はなは)だ具合いのわるい思いをした。北さんは、私の狼狽(ろうばい)に気がつかない振りをして、女のひとに、

「太宰先生は、君たちに親切ですかね？」とニヤニヤ笑いながら尋ねるのである。女のひとは、まさかその人は私の昔からの監督者だとは知らないから、「ええ、たいへん親切よ。」なぞと、いい加減のふざけた口をきくので私は、ハラハラした。その日、北さんは、一つの相談を持って来たのである。相談というよりは、命令といったほうがよいかも知れない。北さんと一緒に故郷の家を訪れてみないかというのである。私の故郷は、本州の北端、津軽平野のほぼ中央に在る。私は、すでに十年、故郷を見なかった。十年前に、或(あ)る事件を起して、それからは故郷に顔出しのできない立場になっていたのである。

「兄さんから、おゆるしが出たのですか？」私たちはトンカツ屋で、ビイルを飲みながら話した。「出たわけじゃ無いんでしょう。」

「それは、兄さんの立場として、まだまだ、ゆるすわけにはいかない。だから、それはそれとして、私の一存であなたを連れて行くのです。なに、大丈夫です。」

「あぶないな。」私は気が重かった。「のこのこ出掛けて行って、玄関払いでも食わされて大き

い騒ぎになったら、それこそ藪蛇ですからね。も少し、このまま、そっとして置きたいな。」

「そんな事はない。」北さんは自信満々だった。「私が連れて行ったら、大丈夫。考えてもごらんなさい。失礼な話ですが、おくにのお母さんだって、もう七十ですよ。めっきり此頃、衰弱なさったそうだ。いつ、どんな事になるか、わかりやしませんよ。その時、このままの関係でいたんじゃ、まずい。事がめんどうですよ。」

「そうですね。」私は憂鬱だった。

「そうでしょう？　だから、いま此の機会に、私が連れて行きますから、まあ、お家の皆さんに逢って置きなさい。いちど逢って置くと、こんど、何事が起っても、あなたも気易くお家へ駈けつけることが出来るというものです。」

「そんなに、うまくいくといいけどねえ。」私は、ひどく不安だった。北さんが何と言っても、私は、この帰郷の計画に就いては、徹頭徹尾悲観的であった。とんでもない事になるぞという予感があった。私は、この十年来、東京に於いて実にさまざまの醜態をやって来ているのだ。とても許される筈は無いのだ。

「なあに、うまくいきますよ。」北さんはひとり意気軒昂たるものがあった。「あなたは柳生十兵衛のつもりでいなさい。私は大久保彦左衛門の役を買います。お兄さんは、但馬守だ。かならず、うまくいきますよ。但馬守だって何だって、彦左の横車には、かないますまい。」

「けれども、」弱い十兵衛は、いたずらに懐疑的だ。「なるべくなら、そんな横車なんか押さないほうがいいんじゃないかな。僕にはまだ十兵衛の資格はないし、下手に大久保なんかが飛び出したら、とんでもない事になりそうな気がするんだけど。」

　生真面目で、癇癖の強い兄を、私はこわくて仕様がないのだ。但馬守だの何だの、そんな洒落どころでは無いのだ。

「責任を持ちます。」北さんは、強い口調で言った。「結果がどうなろうと、私が全部、責任を負います。大舟に乗った気で、彦左に、ここはまかせて下さい。」

　私はもはや反対する事が出来なかった。

　北さんも気が早い。その翌る日の午後七時、上野発の急行に乗ろうという。私は、北さんにまかせた。その夜、北さんと別れてから、私は三鷹のカフェにはいって思い切り大酒を飲んだ。

　翌る日午後五時に、私たちは上野駅で逢い、地下食堂でごはんを食べた。北さんは、麻の白服を着ていた。私は銘仙の単衣。もっとも、鞄の中には紬の着物と、袴が用意されていた。ビイルを飲みながら北さんは、

「風向きが変りましたよ。」と言った。ちょっと考えて、それから、「実は、兄さんが東京へ来ているんです。」

「なあんだ。それじゃ、この旅行は意味が無い。」私はがっかりした。

「いいえ。くにへ行って兄さんに逢うのが目的じゃない。お母さんに逢えたら、いいんだ。私はそう思いますよ。」

「でも、兄さんの留守(るす)に、僕たちが乗り込むのは、なんだか卑怯(ひきょう)みたいですが。」

「そんな事は無い。私は、ゆうべ兄さんに逢って、ちょっと言って置いたんです。」

「修治をくにへ連れて行くと言ったのですか？」

「いいえ、そんな事は言えない。言ったら兄さんは、北君そりゃ困るとおっしゃるでしょう。内心はどうあっても、とにかく、そうおっしゃらなければならない立場です。だから私は、ゆうべお逢いしても、なんにも言いませんよ。言ったら、ぶちこわしです。ただね、私は東北のほうにちょっと用事があって、あすの七時の急行で出発するつもりだけど、ついでに津軽のお宅のほうへ立寄らせていただくかも知れませんよ、とだけ言って置いたのです。それでいいんです。兄さんが留守なら、かえって都合がいいくらいだ。」

「北さんが、青森へ遊びに行くと言ったら、兄さん喜んだでしょう。」

「ええ、お家のほうへ電話してほうぼう案内するように言いつけようとおっしゃったのですが、私は断りました。」

　北さんは頑固(がんこ)で、今まで津軽の私の生家へいちども遊びに行った事がないのである。ひとのごちそうになったり世話になったりする事は、極端にきらいなのである。

「兄さんは、いつ帰るのかしら。まさか、きょう一緒の汽車で、――」

「そんな事はない。茶化しちゃいけません。こんどは町長さんを連れて来ていましたよ。ちょっと、手数のかかる用事らしい。」

兄は時々、東京へやって来る。けれども私には絶対に逢わない事になっているのだ。

「くにへ行っても、兄さんに逢えないとなると、だいぶ張合いが無くなりますね。」私は兄に逢いたかったのだ。そうして、黙って長いお辞儀をしたかったのだ。

「なに、兄さんとは此の後、またいつでもお逢い出来ますよ。それよりも、問題はお母さんです。なにせ七十、いや、六十九、ですかね？」

「おばあさんにも逢えるでしょうね。もう、九十ちかい筈ですけど。それから、五所川原の叔母にも逢いたいし、――」考えてみると、逢いたい人が、たくさんあった。

「もちろん、皆さんにお逢い出来ます。」断乎たる口調だった。ひどくたのもしく見えた。

こんどの帰郷がだんだん楽しいものに思われて来た。次兄の英治さんにも逢いたかったし、また姉たちにも逢いたかった。すべて、十年振りなのである。そうして私は、あの家を見たかった。私の生れて育った、あの家を見たかった。

私たちは七時の汽車に乗った。汽車に乗る前に、北さんは五所川原の中畑さんに電報を打った。

七ジタツ」キタ
それだけでもう中畑さんには、なんの事やら、ちゃんとわかるのだそうである。以心伝心(いしんでんしん)というやつだそうである。

「あなたを連れて行くという事を、はっきり中畑さんに知らせると、中畑さんも立場に困るのです。中畑さんは知らない、何も知らない、そうして五所川原の停車場に私を迎えに来ます。そうしてはじめて、あなたを見ておどろく、という形にしなければ、中畑さんは、あとで兄さんに対して具合いの悪い事になります。中畑君は知っていながら、なぜ、とめなかったと言われるかもしれません。けれども、中畑さんは知らないのだ、五所川原の停車場へ私を迎えに来てはじめて知って驚いたのだ。そうして、まあせっかく東京からやって来たのだし、ひとめお母さんに逢わせました、という事になれば、中畑さんの責任も軽い。あとは全部、私が責任を負いますが、私は大久保彦左衛門だから、但馬守が怒ったって何だって平気です。」なかなか、ややこしい説明であった。

「でも、中畑さんは、知っているんでしょう?」

「だから、そこが、微妙なところなのです。七ジタツ。それでもういいのです。」大久保のはかりごとはこまかすぎて、わかりにくかった。けれども、とにかく私は北さんに、一切をおまかせしたのだ。とやかく不服を言うべきでない。

私たちは汽車に乗った。二等である。相当こんでいた。私と北さんは、通路をへだてて一つずつ、やっと席をとった。北さんは、老眼鏡を、ひょいと掛けて新聞を読みはじめた。落ちついたものだった。私はジョルジュ・シメノンという人の探偵小説を読みはじめた。私は長い汽車の旅にはなるべく探偵小説を読む事にしている。汽車の中で、プロレゴーメナなどを読む気はしない。

北さんは私のほうへ新聞をのべて寄こした。受け取って、見ると、その頃私が発表した「新ハムレット」という長編小説の書評が、三段抜きで大きく出ていた。或る先輩の好意あふれるばかりの感想文であった。それこそ、過分のお褒(ほ)めであった。私と北さんとは、黙って顔を見合せ、そうして同じくらい嬉しそうに一緒に微笑した。素晴らしい旅行になりそうな気がして来た。

青森駅に着いたのは翌朝の八時頃だった。八月の中ごろであったのだが、かなり寒い。霧(きり)のような雨が降っている。奥羽線に乗りかえて、それから弁当を買った。

「いくら？」

「――せん！」

「え？」

「――せん！」

せん！　というのは、わかるけれど何十銭と言っているのか、わからないのである。三度聞き直して、やっと、六十銭と言っているのだという事がわかった。私は呆然(ぼうぜん)とした。

「北さん、いまの駅売の言葉がわかりましたか？」

北さんは、真面目に首を振った。

「そうでしょう？　わからないでしょう？　僕でさえ、わからなかったんだ。いや、きざに江戸っ子ぶって、こんな事を言うのじゃないのです。僕だって津軽で生れて津軽で育った田舎者です。津軽なまりを連発して、東京では皆に笑われてばかりいるのです。けれども十年、故郷を離れて、突然、純粋の津軽言葉に接したところが、わからない。てんで、わからなかった。人間って、あてにならないものですね。十年はなれていると、もう、お互いの言葉さえわからなくなるんだ。」自分が完全に故郷を裏切っている明白な証拠を、いま見せつけられたような気がして私は緊張した。

車中の乗客たちの会話に耳をすました。わからない。異様に強いアクセントである。私は一心に耳を澄ました。少しずつわかって来た。少しわかりかけたら、あとはドライアイスが液体を素通りして、いきなり濛々(もうもう)と蒸発するみたいに見事な速度で理解しはじめた。もとより私は、津軽の人である。川部という駅で五能線に乗り換えて十時頃、五所川原駅に着いた時には、なんの事はない、わからない津軽言葉なんて一語も無かった。全部、はっきり、わかるようになっていた。けれども、自分で純粋の津軽言葉を言う事が出来るかどうか、それには自信がなかった。

五所川原駅には、中畑さんが迎えに来ていなかった。

「来ていなければならぬ筈だが。」大久保彦左衛門もこの時だけは、さすがに暗い表情だった。

改札口を出て小さい駅の構内を見廻しても中畑さんはいない。駅の前の広場、といっても、石ころと馬糞とガタ馬車二台、淋しい広場に私と大久保とが鞄をさげてしょんぼり立った。

「来た！　来た！」大久保は絶叫した。

大きい男が、笑いながら町の方からやって来た。中畑さんである。中畑さんは、私の姿を見ても、一向におどろかない。ようこそ、などと言っている。闊達なものだった。

「これは私の責任ですからね。」北さんは、むしろちょっと得意そうな口調で言った。「あとは万事、よろしく。」

「承知、承知。」和服姿の中畑さんは、西郷隆盛のようであった。

中畑さんのお家へ案内された。知らせを聞いて、叔母がヨチヨチやって来た。十年、叔母は小さいお婆さんになっていた。私の前に坐って、私の顔を眺めて、やたらに涙を流していた。この叔母は、私の小さい時から、頑強に私を支持してくれていた。

中畑さんのお家で、私は紬の着物に着換えて、袴をはいた。その五所川原という町から、さらに三里はなれた金木町というところに、私の生れた家が在るのだ。五所川原駅からガソリンカアで三十分くらい津軽平野のまんなかを一直線に北上すると、その町に着くのだ。おひる頃、中畑さんと北さんと私と三人、ガソリンカアで金木町に向った。

満目の稲田。緑の色が淡い。津軽平野とは、こんなところだったかなあ、と少し意外な感に打たれた。その前年の秋、私は新潟へ行き、ついでに佐渡へも行ってみたが、裏日本の草木の緑はたいへん淡く、土は白っぽくカサカサ乾いて、陽の光さえ微弱に感ぜられて、やりきれなく心細かったのだが、いま眼前に見るこの平野も、それと全く同じであった。私はここに生れて、そうしてこんな淡い薄い風景の悲しさに気がつかず、のんきに遊び育ったのかと思ったら、妙な気がした。青森に着いた時には小雨が降っていたが、間もなく晴れて、いまはもう薄日さえ射している。けれども、ひんやり寒い。

「この辺はみんな兄さんの田でしょうね。」北さんは私をからかうように笑いながら尋ねる。

中畑さんが傍から口を出して、

「そうです。」やはり笑いながら、「見渡すかぎり、みんなそうです。」少し、ほらのようであった。「けれども、ことしは不作ですよ。」

はるか前方に、私の生家の赤い大屋根が見えて来た。淡い緑の稲田の海に、ゆらりと浮いている。私はひとりで、てれて、

「案外、ちいさいな。」と小声で言った。

「いいえ、どうして、」北さんは、私をたしなめるような口調で、「お城です。」と言った。

ガソリンカアは、のろのろ進み、金木駅に着いた。見ると、改札口に次兄の英治さんが立っている。ている。笑っている。

私は、十年振りに故郷の土を踏んでみた。わびしい土地であった。凍土の感じだった。毎年毎年、地下何尺か迄こおるので、土がふくれ上って、白っちゃけてしまったという感じであった。家も木も、土も、洗い晒されているような感じがするのである。路は白く乾いて、踏み歩いても足の裏の反応は少しも無い。ひどく、たより無い感じだ。

「お墓。」と誰か、低く言った。それだけで皆に了解出来た。四人は黙って、まっすぐにお寺へ行った。そうして、父の墓を拝んだ。墓の傍の栗の大木は、昔のままだった。

生家の玄関にはいる時には、私の胸は、さすがにわくわくした。中はひっそりしている。お寺の納所のような感じがした。部屋部屋が意外にも清潔に磨かれていた。もっと古ぼけていた筈なのに、小ぢんまりしている感じさえあった。悪い感じではなかった。

仏間に通された。中畑さんが仏壇の扉を一ぱいに押しひらいた。私は仏壇に向って坐って、お辞儀をした。それから、嫂に挨拶した。上品な娘さんがお茶を持って来たので、私は兄の長女かと思って笑いながらお辞儀をした。それは女中さんであった。

背後にスッスッと足音が聞える。私は緊張した。母だ。母は、私からよほど離れて坐った。私は、黙ってお辞儀をした。顔を挙げて見たら、母は涙を拭いていた。小さいお婆さんになっていた。

また背後に、スッスッと足音が聞える。一瞬、妙な、(もったいない事だが、)気味の悪さを感じた。眼の前にあらわれるまで、なんだかこわい。

「修ッちゃあ、よく来たナ。」祖母である。八十五歳だ。大きい声で言う。母よりも、はるかに元気だ。「逢いたいと思うていたね。ワレはなんにも言わねども、いちど逢いたいと思うていたね。」

陽気な人である。いまでも晩酌を欠かした事が無いという。

お膳が出た。

「飲みなさい。」英治さんは私にビイルをついでくれた。

「うん。」私は飲んだ。

英治さんは、学校を卒業してから、ずっと金木町にいて、長兄の手助けをしていたのだ。そうして、数年前に分家したのである。英治さんは兄弟中で一ばん頑丈な体格をしていて、気象も豪傑(ごうけつ)だという事になっていた筈なのに、十年振りで逢ってみると、実に優しい華奢(きゃしゃ)な人であった。東京で十年間、さまざまの人と争い、荒くれた汚い生活をして来た私に較(くら)べると、全然別種の人のように上品だった。顔の線も細く、綺麗だった。多くの肉親の中で私ひとりが、さもしい貧乏人根性の、下等な醜い男になってしまったのだと、はっきり思い知らされて、私はひそかに苦笑していた。

「便所は？」と私は聞いた。

英治さんは変な顔をした。

「なあんだ、」北さんは笑って、「ご自分の家へ来て、そんな事を聞くひとがありますか。」

私は立って、廊下へ出た。廊下の突き当りに、お客用のお便所がある事は私も知ってはいたのだが、長兄の留守に、勝手に家の中を知った振りしてのこのこ歩き廻るのは、よくない事だと思ったので、ちょっと英治さんに尋ねたのだが、英治さんは私を、きざな奴だと思ったかも知れない。私は手を洗ってからも、しばらくそこに立って窓から庭を眺めていた。一木一草も変っていない。私は家の内外を、もっともっと見て廻りたかった。ひとめ見て置きたい所がたくさんたくさんあったのだ。けれどもそれは、いかにも図々（ずうずう）しい事のようだから、そこの小さい窓から庭を、むさぼるように眺めるだけで我慢する事にした。

「池の水蓮（すいれん）は、今年はまあ、三十二も咲きましたよ。」祖母の大声は、便所まで聞える。「嘘（うそ）でも何でも無い、三十二咲きましたてば。」祖母は先刻から水蓮の事ばかり言っている。

私たちは午後の四時頃、金木の家を引き上げ、自動車で五所川原に向った。気まずい事の起らぬうちに早く引き上げましょう、と私は北さんと前もって打ち合せをして置いたのである。さしたる失敗も無く、謂わば和気藹々裡に、私たちはハイヤアに乗った。北さん、中畑さん、私、それから母。嫂や英治さんの優しいすすめに依って母も、私たちと一緒に、五所川原まで行く事になったのである。行く先は叔母の家である。私はそこに一泊する事になっていた。北さんも、そこに一泊してそうして翌る日から私と二人で、浅虫温泉やら十和田湖などあちこち遊び廻ろうというのが、私たちの東京を立つ時からの計画であったのだが、けさほど東京の北さんのお宅から金木の家へ具合いの悪い電報が来ていて、それがために、どうしても今夜、青森発の急行で帰京しなければならなくなってしまったのである。北さんのお隣りの奥さんが死んだ、という電報であったが、北さんは、こりゃいけない、あの家は非常に気の毒な家で、私がいないとお葬式も出せない、すぐ行かなくちゃいけない、と言って、一度言い出したら、もう何といっても聞きいれない、頑固な大久保氏なのだから、私たちも無理に引きとめる事はしなかった。叔母の家で、みんな一緒に夕ごはんを食べて、それから五所川原駅まで北さんを送って行った。北さんはこれからまた汽車に乗ってどんなに疲れる事だろうと思ったら、私は、つらくてかなわなかった。

その夜は叔母の家でおそくまで、母と叔母と私と三人、水入らずで、話をした。私は、妻が三鷹の家の小さい庭をたがやして、いろんな野菜をつくっているという事を笑いながら言ったら、それが、いたくお二人の気に入ったらしく、よくまあ、のう、よくまあ、と何度も二人でこっくりこっくり首肯き合っていた。私も津軽弁が、やや自然に言えるようになっていたが、こみいった話になると、やっぱり東京の言葉を遣った。母も叔母も、私がどんな商売をしているのか、よくわかっていない様子であった。私は原稿料や印税の事など説明して聞かせたが、半分もわからなかったらしく、本を作って売る商売なら本屋じゃないか、ちがいますか、などという質問まで飛び出す始末なので、私は断念して、まあ、そんなものです、と答えて置いた。どれくらいの収入があるものです、と母が聞くから、はいる時には五百円でも千円でもはいります、と朗らかに答えたが、母は落ちついて、それを幾人でわけるのですか、と言ったので、私はがっかりした。本屋を営んでいるものとばかり思い込んでいるらしい。けれども、原稿料にしろ印税にしろ、自分ひとりの力で得たと思ってはいけないのだ、みんなの合作と思わなければならぬ、みんなでわけるのこそ正しい態度かも知れぬ、と思ったりした。

母も叔母も、私の実力を一向にみとめてくれないので、私は、やや、あせり気味になって、懐中から財布を取り出し、お二人の前のテエブルに十円紙幣を二枚ならべて載せて、

「受け取って下さいよ。お寺参りのお賽銭か何かに使って下さい。僕には、お金がたくさんあるんだ。僕が自分で働いて得たお金なんだから、受け取って下さい。」と大いに恥ずかしかったが、やけくそになって言った。

母と叔母は顔を見合せて、クスクス笑っていた。私は頑強にねばって、とうとう二人にそのお金を受け取らせた。母は、その紙幣を母の大きい財布にいれて、そうしてその財布の中から熨斗袋（のしぶくろ）を取り出し、私に寄こした。あとでその熨斗袋の内容を調べてみたら、それには私の百枚の創作に対する原稿料と、ほぼ同額のものがはいっていた。

翌る日、私は皆と別れて青森へ行き、親戚（しんせき）の家へ立寄って一泊して、あとはどこへも立寄らず、逃げるようにして東京へ帰って来た。十年振りで帰っても、私は、ふるさとの風物をちらと見ただけであった。ふたたびゆっくり、見る折があろうか。母に、もしもの事があった時、私は、ふたたび故郷を見るだろうが、それはまた、つらい話だ。

その旅行の二箇月ほど後に、私は偶然、北さんと街で逢った。北さんは、蒼（あお）い顔をして居（お）られた。元気が無かった。

「どうしたのです。痩（や）せましたね。」

「ええ、盲腸炎をやりましてね。」

あの夜、青森発の急行で帰京したが、帰京の直後に腹痛がはじまったというのである。

「そいつあ、いけない。やっぱり無理だったのですね。」私も前に盲腸炎をやった事がある。そうして過労が盲腸炎の原因になるという事を、私は自分のその時の経験から知っていた。

「なにせあの時の北さんは、強行軍だったからなあ。」

北さんは淋しそうに微笑(ほほえ)んだ。私は、たまらない気持だった。みんな私のせいなんだ。私の悪徳が、北さんの寿命をたしかに十年ちぢめたのである。そうして私ひとりは、相も変らず、のほほん顔。

# 一つの約束

難破して、わが身は怒濤に巻き込まれ、海岸にたたきつけられ、必死にしがみついた所は、灯台の窓縁である。やれ、嬉しや、たすけを求めて叫ぼうとして、窓の内を見ると、今しも灯台守の夫婦とその幼き女児とが、つつましくも仕合せな夕食の最中である。ああ、いけねえ、と思った。おれの凄惨な一声で、この団欒が滅茶々々になるのだ、と思ったら喉まで出かかった「助けて！」の声がほんの一瞬戸惑った。ほんの一瞬である。たちまち、ざぶりと大波が押し寄せ、その内気な遭難者のからだを一呑みにして、沖遠く拉し去った。

もはや、たすかる道理は無い。

この遭難者の美しい行為を、一体、誰が見ていたのだろう。誰も見てやしない。灯台守は何も知らずに一家団欒の食事を続けていたに違いないし、遭難者は怒濤にもまれて（或いは吹雪の夜であったかも知れぬ）ひとりで死んでいったのだ。月も星も、それを見ていなかった。しかも、その美しい行為は儼然たる事実として、語られている。

言いかえれば、これは作者の一夜の幻想に端を発しているのである。

けれども、その美談は決して嘘ではない。たしかに、そのような事実が、この世に在ったのである。

ここに作者の幻想の不思議が存在する。事実は、小説よりも奇なり、と言う。しかし、誰も見ていない事実だって世の中には、あるのだ。そうして、そのような事実にこそ、高貴な宝玉が光っている場合が多いのだ。それをこそ書きたいというのが、作者の生甲斐になっている。

第一線に於いて、戦って居られる諸君。意を安んじ給え。誰にも知られぬ或る日、或る一隅に於ける諸君の美しい行為は、かならず一群の作者たちに依って、あやまたず、のこりくまなく、子々孫々に語り伝えられるであろう。日本の文学の歴史は、三千年来それを行い、今後もまた、変る事なく、その伝統を継承する。

# 親という二字

親という二字と無筆の親は言い。この川柳は、あわれである。

「どこへ行って、何をするにしても、親という二字だけは忘れないでくれよ。」

「チャンや。親という字は一字だよ。」

「うんまあ、仮りに一字が三字であってもさ。」

この教訓は、駄目である。

しかし私は、いま、ここで柳多留の解説を試みようとしているのではない。実は、こないだ或る無筆の親に逢い、こんな川柳などを、ふっと思い出したというだけの事なのである。

罹災したおかたには皆おぼえがある筈だが、罹災をすると、へんに郵便局へ行く用事が多くなるものである。私が二度も罹災して、とうとう津軽の兄の家へ逃げ込んで居候という身分になったのであるが、簡易保険だの債券売却だのの用事でちょいちょい郵便局に出向き、また、ほどなく私は、仙台の新聞に「パンドラの匣（はこ）」という題の失恋小説を連載する事になって、その原稿発送やら、電報の打合せやらで、いっそう郵便局へ行く度数が頻繁（ひんぱん）になった。

れいの無筆の親と知合いになったのは、その郵便局のベンチに於（お）いてである。

郵便局は、いつもなかなか混んでいる。私はベンチに腰かけて、私の順番を待っている。

「ちょっと、旦那（だんな）、書いてくれや。」

おどおどして、そうして、どこかずるそうな、顔もからだもひどく小さい爺（じい）さんだ。大酒飲みに違いない、と私は同類の敏感で、ひとめ見て断じた。顔の皮膚が蒼（あお）く荒（すさ）んで、鼻が赤い。

私は無言で首肯（うなず）いてベンチから立ち上り、郵便局備附（そなえつ）けの硯箱（すずりばこ）のほうへ行く。貯金通帳と、払戻し用紙（かれはそれを、うけ出しの紙と言っている）それから、ハンコと、三つを示され、そうして、「書いてくれや」と言われたら、あとは何も聞かずともわかる。

「いくら？」

「四拾円。」

私はその払戻し用紙に四拾円也としたため、それから通帳の番号、住所、氏名を書き記す。通帳には旧住所の青森市何町何番地というのに棒が引かれて、新住所の北津軽郡金木町何某方というのがその傍に書き込まれていた。青森市で焼かれてこちらへ移って来たひとかも知れないと安易に推量したが、果してそれは当っていた。そうして、氏名は、

竹内トキ
となっていた。女房の通帳かしら、くらいに思っていたが、しかし、それは違っていた。

かれは、それを窓口に差出し、また私と並んでベンチに腰かけて、しばらくすると、別の窓口から現金支払い係りの局員が、

「竹内トキさん。」

と呼ぶ。

「あい。」

と爺さんは平気で答えて、その窓口へ行く。

「竹内トキさん。四拾円。御本人ですか？」

と局員が尋ねる。

「そうでごいせん。娘です。あい。わしの末娘でごいす。」

「なるべくなら、御本人をよこして下さい。」

と言いながら、局員は爺さんにお金を手渡す。

かれは、お金を受取り、それから、へへん、というように両肩をちょっと上げ、いかにもずるそうに微笑(ほほえ)んで私のところへ来て、

「御本人は、あの世へ行ったでごいす。」

私は、それから、実にしばしばその爺さんと郵便局で顔を合せた。かれは私の顔を見ると、へんに笑って、

「旦那。」と呼び、そうして、「書いてくれや。」と言う。

「いくら？」

「四拾円。」

いつも、きまっていた。

そうして、その間に、ちょいちょいかれから話を聞いた。それに依ると、かれは、案にたがわず酒飲みであった。四拾円も、その日のうちにかれの酒代になるらしい。この辺にはまだ、闇の酒があちこちにあるのである。

かれのあととりの息子は、戦地へ行ってまだ帰って来ない。長女は北津軽のこの町の桶屋に嫁いでいる。焼かれる前は、かれは末娘とふたりで青森に住んでいた。しかし、空襲で家は焼かれ、その二十六になる末娘は大やけどをして、医者の手当も受けたけれど、象さんが来た、象さんが来た、とうわごとを言って、息を引きとったという。

「象の夢でも見ていたのでごいしょうか。ばかな夢を見るもんでごいす。けえっ。」と言って笑ったのかと思ったら、何、泣いているのだ。

象さんというのは、或いは、増産ではなかろうか。その竹内トキさんは、それまでずっとも

う永いことお役所に勤めていたのだそうだから、「増産が来た」というのが、何かお役所の特別な意味でも有る言葉で、それが口癖になっていたのではなかろうか、とも思われたが、しかし、その無筆の親の解釈にしたがって、象さんの夢を見ていたのだとするほうが、何十倍もあわれが深い。

私は興奮し、あらぬ事を口走った。

「まったくですよ。クソ真面目な色男気取りの議論が国をほろぼしたんです。気の弱いはにかみ屋ばかりだったら、こんな事にまでなりやしなかったんだ。」

われながら愚かしい意見だとは思ったが、言っているうちに、眼が熱くなって来た。

「竹内トキさん。」

と局員が呼ぶ。

「あい。」

と答えて、爺さんはベンチから立ち上る。みんな飲んでしまいなさい、と私はよっぽどかれに言ってやろうかと思った。

しかし、それからまもなく、こんどは私が、えい、もう、みんな飲んでしまおうと思い立った。私の貯金通帳は、まさか娘の名儀のものではないが、しかし、その内容は、或いは竹内トキさんの通帳よりもはるかに貧弱であったかも知れない。金額の正確な報告などは興覚めな事だから言わないが、とにかくその金は、何か具合いの悪い事でも起って、急に兄の家から立ち退かなければならなくなったりした時に、あまりみじめな思いなどせずにすむように、郵便局にあずけて置いたものであった。ところがその頃、或る人からウィスキイを十本ばかりゆずってもらえるあてがついて、そのお礼には私の貯金のほとんど全部が必要のようであった。私はちょっと考えただけで、えい、みんな酒にしてしまえ、と思った。あとはまたあとで、どうにかなるだろう。どうにかならなかったら、その時にはまた、どうにかなるだろう。

来年はもう三十八だというのに、未だに私には、このように全然駄目なところがある。しかし、一生、これ式で押し通したら、また一奇観ではあるまいか、など馬鹿な事を考えながら郵便局に出かけた。

「旦那。」

れいの爺さんが来ている。

私が窓口へ行って払戻し用紙をもらおうとしたら、

「きょうは、うけ出しの紙は要らないんでごいす。入金でごいす。」

と言って拾円紙幣のかなりの束を見せ、

「娘の保険がさがりまして、やっぱり娘の名儀でこんにち入金のつもりでごいす。」

「それは結構でした。きょうは、僕のほうが、うけ出しなんです。」

甚だ妙な成り行きであった。やがて二人の用事はすんだが、私が現金支払いの窓口で手渡された札束は、何の事は無い、たったいま爺さんの入金した札束そのものであったので、なんだかひどく爺さんにすまないような気がした。

そうしてそれを或る人に手渡す時にも、竹内トキさんの保険金でウィスキイを買うような、へんな錯覚を私は感じた。

数日後、ウィスキイは私の部屋の押入れに運び込まれ、私は女房に向って、

「このウィスキイにはね、二十六歳の処女のいのちが溶け込んでいるんだよ。これを飲むと、僕の小説にもめっきり艶っぽさが出て来るという事になるかも知れない。」

と言い、そもそも郵便局で無筆のあわれな爺さんに逢った事のはじめから、こまかに語り起すと、女房は半分も聞かぬうちに、

「ウソ、ウソ。お父さんは、また、てれ隠しの作り話をおっしゃってる。ねえ、坊や。」

と言って、這い寄る二歳の子を膝へ抱き上げた。

# 母

昭和二十年の八月から約一年三箇月ほど、本州の北端の津軽の生家で、所謂疎開生活をしていたのであるが、そのあいだ私は、ほとんど家の中にばかりいて、旅行らしい旅行は、いちども、しなかった。いちど、津軽半島の日本海側の、或る港町に遊びに行ったが、それとて、私の疎開していた町から汽車で、せいぜい三、四時間の、「外出」とでも言ったほうがいいくらいの小旅行であった。

けれども私は、その港町の或る旅館に一泊して、哀話、にも似た奇妙な事件に接したのである。それを、書こう。

私が津軽に疎開していた頃は、私のほうから人を訪問した事は、ほとんど無かったし、また、私を訪問して来る人もあまり無かった。それでも時たま、復員の青年などが、小説の話を聞かして下さい、などと言ってやって来る。

「地方文化、という言葉がよく使われているようですが、あれは、先生、どういう事なんでしょうか。」

「うむ。僕にもよくわからないのだがね。たとえば、いまこの地方には、濁酒がさかんに作られているようだが、どうせ作るなら、おいしくて、そうしてたくさん飲んでも二日酔いしないような、上等なものを作る。濁酒に限らず、イチゴ酒でも、桑の実酒でも、野葡萄の酒でも、リンゴの酒でも、いろいろ工夫して、酔い心地のよい上等品を作る。たべものにしても同じ事で、この地方の産物を、出来るだけおいしくたべる事に、独自の工夫をこらす。そうして皆で愉快に飲みかつ食う。そんな事じゃ、ないかしら。」

「先生は、濁酒などお飲みになりますか。」

「飲まぬ事もないが、そんなに、おいしいとは思わない。酔い心地も、結構でない。」

「しかし、いいのもありますよ。清酒とすこしも変らないのも、このごろ出来るようになったのです。」

「そうか。それがすなわち、地方文化の進歩というものなのかも知れない。」

「こんど、先生のところに持って来てもいいですか。先生は、飲んで下さいますか。」

「それは、飲んであげてもいい。地方文化の研究のためですからね。」

数日後に、その青年は、水筒にお酒をつめて持って来た。

私は飲んでみて、

「うまい。」

と言った。

清酒と同様に綺麗に澄んでいて、清酒よりも更に濃い琥珀色で、アルコール度もかなり強いように思われた。

「優秀でしょう?」

「うむ。優秀だ。地方文化あなどるべからずだ。」

「それから、先生、これが何だかわかりますか?」

青年は持参の弁当箱の蓋をひらいて卓上に置いた。

私は一目見て、

「蛇だ。」

と言った。

「そうです。マムシの照り焼です。これもまた、地方文化の一つじゃないでしょうか。この地方の産物を、出来るだけおいしくたべる事に、独自の工夫をこらした結果、こんなものが出来上ったんです。地方文化研究のためにも、たべてみて下さい。」

私は、観念して、たべた。

「いかがです。おいしいでしょう？」

「うむ。」

「精が、つきますよ。これを、一度に五寸以上たべると、鼻血が出ます。先生はいま、二寸たべましたから、まだ大丈夫。もう二寸たべてごらんなさい。四寸くらいたべたら、ちょうどからだにいいでしょう。」

　私は仕方なく、

「それでは、もう二寸、ごちそうになりましょう。」

　と言って、たべた。

「いかがです。からだが、ぽかぽかして来やしませんか。」

「うむ。ぽかぽかして来たようだ。」

　突然、青年は、声を挙げて笑った。

「先生、ごめんなさい。それは、青大将なんです。お酒も、濁酒じゃないんです。一級酒に私がウイスキイをまぜたんです。」

　しかし、私はそれから、その青年と仲よしになった。私をこんなに見事にかつぐとは、見どころがあると思った。

「先生、こんど僕の家へあそびに来てくれませんか？」

「たいぎだ。」

「地方文化が豊富にありますよ。お酒でも、ビイルでも、ウイスキイでも、さかなでも、肉でも。」

その青年の名は、小川新太郎といって、日本海に面した或る港町の、宿屋の一人息子だという事を、私は知っていた。

「それを餌に、座談会じゃないのか？」

私は、所謂文化講演会だの、座談会だのに出て、人々に民主主義の意義などを説き聞かせるのは、にがてなのである。いかにも自分がにせもので、狸のお化けのような気がして来て、たまらないのである。

「まさか、先生のお話なんか聞きに来る人は、無いでしょう。」

「そうでもあるまい。現に君が、僕の話を拝聴しにこうして度々やって来る。」

「ちがいますよ。僕は、遊びに来るのです。遊び方の研究をしに来ているのです。これも文化運動の一つでしょう？」

「よく学び、よく遊べ、というやつか。その着想は、しかし、わるくないね。」

「そんなら、僕の家へ、何の意味も無く、遊びに来てくれてもいいじゃありませんか。きたない家ですけれども、浜からあがりたての、おいしいおさかなだけは保証します。」

私は行く事にした。

私の疎開していた町から、汽車で三、四時間、或る港町の駅に降りると、小川新太郎君は、りゅうとした背広服姿で、迎えに来ていた。

「君は、こんないい洋服を持っているくせに、僕の家へ来る時には、なぜあんな、よごれた軍服みたいなものを着て来るのかね。」

「わざと身をやつして行くのです。水戸黄門でも、最明寺入道でも、旅行する時には、わざときたない身なりで出かけるでしょう？　そうすると、旅がいっそう面白くなるのです。遊び上手は、身をやつすものです。」

旧暦のお正月の頃で、港町の雪道は、何か浮き浮きした人の往き来で賑わっていた。曇っていた日であったが、割にあたたかで、雪道からほやほや湯気が立ち昇っている。

すぐ右手に海が見える。冬の日本海は、どす黒く、どたりどたりと野暮ったく身悶えしている。

海に沿った雪道を、私はゴム長靴で、小川君はきゅっきゅっと鳴る赤皮の短靴で、ぶらぶら歩きながら、

「軍隊では、ずいぶん殴られましてね。」

「そりゃ、そうだろう。僕だって君を、殴ってやろうかと思う事があるんだもの。」

「小生意気に見えるんでしょうかね。しかし、軍隊は無茶苦茶ですよ。僕はこんど軍隊からかえって来て、鷗外全集をひらいてみて、鷗外の軍服を着ている写真を見たら、もういやになって、全集をみな叩き売ってしまいました。鷗外が、いやになっちゃいました。死んでも読むまいと思いました。あんな、軍服なんかを着ているんですからね。」

「そんなにいやなら、君だって、着て歩かなけやいいじゃないか。身をやつすもクソも無い。」

「あまり、いやだから着て歩くのです。先生には、わからないでしょうね。とにかく旅行は、屈辱の多いものでしょう？　軍服はそんな屈辱には、もって来いのものなんだから、だから、それだから、わからねえかなあ、作家訪問なんてのも一種の屈辱ですからねえ。いや、屈辱の大関くらいのところだ。」

「そんな生意気な事を言うから、殴られるんだよ。」

「そうかなあ、いやになるね。ひとを殴るなんて、狂人でなくちゃ出来ない事なんじゃないかな。僕はね、軍隊で、あんまり殴られるので、こっちも狂人の真似をしてやれと思って、工夫して、両方の眉を綺麗に剃り落して上官の前に立ってみた事さえありました。」

「そりゃまた、思い切った事をしたものだ。上官も呆れたろう。」

「呆れていました。」

「さすがにそれ以後は殴られなくなったろう。」

「いいえ、かえってひどく殴られました。」

小川君の家へ着いた。山を背にして海に臨んだ小綺麗な旅館であった。

小川君の書斎は、裏二階にあった。明窓浄几、筆硯紙墨、皆極精良、とでもいうような感じで、あまりに整頓されすぎていて、かえって小川君がこの部屋では何も勉強していないのではないかと思われたくらいであった。床柱に、写楽の版画が、銀色の額縁に収められて掛けられていた。それはれいの、天狗（てんぐ）のしくじりみたいな、グロテスクな、役者の似顔絵なのである。

「似ているでしょう？　先生にそっくりですよ。きょうは先生が来るというので、特にこれをここに掛けて置いたのです。」

私はあまり、うれしくなかった。

私たちは、机の傍の炉を挟（はさ）んで坐った。彼の机の上には、一冊の書物が、ひらかれたまま置かれていた。たったいままで読んでいたという形のつもりかも知れないが、それもまた、あまりにきちんとひらかれて置かれているので、かえって彼が、その本を一ページも読まなかったのではなかろうかという失礼な疑念がおのずから湧（わ）き上るのを禁じ得なかったくらいであった。

私が机上をちらと見て思わず口をゆがめたのを、素早く彼は見てとった様子で、憤然、とでも形容したいほどの勢いで、その机上の本を取り上げ、

「いい小説ですね、これは。」

と言った。

「わるい小説は、すすめないさ。」

その本は、私が、どんなものを読めばいいかという彼の問いに応えて、ぜひそれを読めとすすめた短篇集なのであった。

「まったく偉い作家だ。僕はいままで知らなかった。もっと早くから読んでおればよかった。万世一系とは、こんな作家の事を言うのです。この作家にくらべたら、先生なんかは乞食みたいだ。」

その短篇集の著者が、万世一系かどうか、それは彼の言論の自由のしからしむるところであろうから、敢えて不問に附するとしても、それに較べて私が乞食だという彼の断案には承知できないものがあった。としの若いやつと、あまり馴れ親しむと、えてしてこんないやな目に遭う。

私はもういちど旅館の玄関から入り直して、こんどはあかの他人の一旅客としてここに泊って、ぜが非でも勘定をきちんと支払い、そうして茶代をいやというほど大ふんぱつして、この息子とは一言も口をきかずに帰ってしまおうかとさえ考えた。

「さすがに僕の先生は、眼が高いと思いましたよ。じっさい、これは面白かった。」

小川君は、しかし、余念なさそうに、そう言う。

僕のほうで、ひがみすごしているのかな？　と私は考え直した。

「若旦那(わかだんな)。」

と襖(ふすま)のかげから、女のひとが、新太郎君を呼んだ。

「なんだ。」

と答えて立って襖をあけ、廊下に出て、

「うん、そう、そう、そうだ。どてら？　もちろんだ。早くしろ。」

などと言っている。

そうして、部屋の外から私に向って、

「先生、お湯にはいりましょう。どてらに着かえて下さい。僕もいま、着かえて来ますから。」

「ごめん下さい。いらっしゃいまし。」

四十前後の、細面(ほそおもて)の、薄化粧した女中が、どてらを持って部屋へはいって来て、私の着換えを手伝った。

私は、ひとの容貌(ようぼう)や服装よりも、声を気にするたちのようである。音声の悪いひとが傍にいると、妙にいらいらして、酒を飲んでもうまく酔えないたちである。その四十前後の女中は、容貌はとにかく、悪くない声をしていた。若旦那、と襖のかげで呼んだ時から、私はそれに気が附いていた。

「あなたは、この土地のひとですか?」

「いいえ。」

私は風呂場に案内せられた。白いタイル張りのハイカラな浴場であった。

小川君と二人で、清澄(せいちょう)なお湯にひたりながら、君んとこは、宿屋だけではないんじゃないか? と、小川君に言ってやって、私の感覚のあなどるべからざる所以(ゆえん)を示し、以(もっ)て先刻の乞食の仕返しをしてやろうかとも考えたが、さすがに遠慮せられた。別に確証があっての事ではない。ただふっとそんな気がしただけの事で、もし間違ったら、彼におわびの仕様も無いほど失礼な質問をしてしまった事になる。

その夜は、所謂(いわゆる)地方文化の粋(すい)を満喫(まんきつ)した。れいのあの、きれいな声をした年増(としま)の女中は、日が暮れたら、濃い化粧をして口紅などもあざやかに、そうしてお酒やらお料理やらを私どもの部屋に持ち運んで来て、大旦那の言いつけかまたは若旦那の命令か知らぬが、部屋の入口にそれを置いてお辞儀をして、だまってそのまま引下ってしまうのである。

「君は僕を、好色の人間だと思うかね。どうかね。」

「そりゃ、好色でしょう。」

「実は、そうなんだ。」

と言って、女中にお酌でもさせてもらうように遠まわしの謎を掛けたりなどしてみたのであるが、彼は意識的にか、あるいは無意識的にか、一向にそれに気附かぬ顔をして、この港町の興亡盛衰の歴史を、ながながと説いて聞かせるばかりなので、私はがっかりした。

「ああ、酔った。寝ようか。」

と私は言った。

私は表二階の、おそらくはこの宿屋で一ばんよい部屋なのであろう、二十畳間くらいの大きい部屋のまんなかに、ひとりで寝かされた。私は、くるしいくらいに泥酔していた。地方文化、あなどるべからず、ナンマンダ、ナンマンダ、などと、うわごとに似たとりとめない独り言を呟いて、いつのまにか眠ったようだ。

ふと、眼をさました。眼をさました、といっても、眼をひらいたのではない。眼をつぶったまま覚醒し、まず波の音が耳にはいり、ああここは、港町の小川君の家だ、ゆうべはずいぶんやっかいをかけたな、というところあたりから後悔がはじまり、身の行末も心細く胸がどきどきして来て、突然、二十年も昔の自分の奇妙にキザな振舞いの一つが、前後と何の聯関も無く、色あざやかに浮んで来て、きゃっと叫びたいくらいのたまらない気持になり、いかん！　つまらん！　など低く口に出して言ってみたりして、床の中で輾転しているのである。泥酔して寝ると、いつもきまって夜中に覚醒し、このようなやりきれない刑罰の二、三時間を神から与えられるのが、私のこれまでの、ならわしになっているのだ。

「すこしでも、眠らないと、わるいわよ。」

まぎれもなく、あの女中の声である。しかし、それは私に向って言ったのではない。私の蒲団の裾のほうに当っている隣室から、ひそひそと漏れ聞えて来る声なのである。

「ええ、なかなか、眠れないんです。」

若い男の、いや、ほとんど少年らしいひとの、いやみのない応答である。

「ちょっと一眠りしましょうよ。何時ですか?」と女。

「三時、十三、いや、四分です。」

「そう? その時計は、こんな、まっくら闇の中でも見えるの?」

「見えるんです。蛍光板というんです。ほら、ね、蛍の光のようでしょう?」

「ほんとね。高いものでしょうね。」

私は眼をつぶったまま、寝返りを打ち、考える。なあんだ、やっぱり、そうだったじゃないか。作家の直観あなどるべからず。いや、好色漢の直観あなどるべからず、かな? 小川君は、僕の事を乞食だなんて言って、ご自身大いに高潔みたいに気取っていやがったけれども、見よ、この家の女中は、お客と一緒に寝ているじゃないか。明朝かれにさっそく、この事を告げて、彼をして狼狽させてやるのも一興である。

なおもひそひそ隣室から、二人の会話が漏れて来る。

その会話に依(よ)って私は、男は帰還の航空兵である事、そうしてたったいま帰還して、昨夜この港町に着いて、彼の故郷はこの港町から三里ほど歩いて行かなければならぬ寒村であるから、ここで一休みして、夜が明けたらすぐに故郷の生家に向って出発するというプログラムになっているらしい事、二人は昨夜はじめて相逢(あいあ)ったばかりで、別段旧知の間柄でも無いらしく、互いに多少遠慮し合っている事などを知った。

「日本の宿屋は、いいなあ。」と男。

「どうして?」

「しずかですから。」

「でも、波の音が、うるさいでしょう?」

「波の音には、なれています。自分の生れた村では、もっともっと波の音が高く聞えます。」

「お父さん、お母さん、待っているでしょうね。」

「お父さんは、ないんです。死んだのです。」

「お母さんだけ?」

「そうです。」

「お母さんは、いくつ?」と軽くたずねた。

「三十八です。」

私は暗闇の中で、ぱちりと眼をひらいてしまった。あの男が、はたち前後だとすると、その母のとしは、そりゃそうかも知れぬ、その筈だ、不思議は無い、とは思ったものの、しかし、三十八は隣室の私にとっても、ショックであった。

「…………」

とでも書かなければならぬように、果して女は黙ってしまった。はっと息を呑んだ女の、そのかすかな気配が、闇をとおして隣室の私の呼吸にぴたりと合った感じがした。無理もない、あの女は三十八か、九であろう。

三十八と聞いて、息を呑んだのは、女中と、それから隣室の好色の先生だけで、若い帰還兵は、なんにも気づかぬ。

「あなたは、さっき、指にやけどしたとか言っていたけど、どうですか、まだ、いたみますか。」と、のんきに尋ねる。

「いいえ。」

私の気のせいか、それは、消え入るほどの力弱い声であった。

「やけどに、とてもよくきく薬を自分は持っているんだけどな。そのリュックサックの中にはいっているんです。塗ってあげましょうか。」

女は何も答えない。

「電気をつけてもいいですか？」

男は起き上りかけた様子だ。リュックサックから、そのやけどの薬を取り出そうと思っているらしい。

「いいのよ、寒いわ。眠りましょう。眠らないと、わるいわ。」

「一晩くらい眠らなくても、自分は平気なんです。」

「電気をつけちゃ、いや！」

するどい語調であった。

隣室の先生は、ひとりうなずく。電気を、つけてはいけない。聖母を、あかるみに引き出すな！

男は、また蒲団にもぐり込んだ様子だ。そうして、しばらく、二人は黙っている。

男は、やがて低く口笛を吹いた。戦争中にはやった少年航空兵の歌曲のようであった。

女は、ぽつんと言った。

「あしたは、まっすぐに家(うち)へおかえりなさいね。」

「ええ、そのつもりです。」

「寄り道をしちゃだめよ。」

「寄り道しません。」

私は、うとうとまどろんだ。

眼がさめた時は、既に午前九時すぎで、隣室の若い客は出発してしまっていた。

床の中で愚図々々（ぐずぐず）していると、小川君が、コロナを五つ六つ片手に持って私の部屋にやって来た。

「先生、お早う。ゆうべは、よく眠れましたか？」

「うむ。ぐっすり眠った。」

私は隣室のあの事を告げて小川君を狼狽させる企て（くわだ）を放棄していた。そうして言った。

「日本の宿屋は、いいね。」

「なぜ？」

「うむ。しずかだ。」

# 解説

七北数人

　本シリーズの第一弾は坂口安吾で行く、と書肆主人の上田氏は企画段階から決めていた。安吾の作品集は文庫でもたくさん出ているから、新たに単行本を出しても売れないのではないかと私は危惧を語った。それでもなお、これまであまり単行本に収録されてこなかった、埋もれた名作を掘り起こしたい、読者に届けたい、そんな上田氏の熱意におされて第一弾に決まってみると、安吾忌で知り合った我々二人が編むなら、幕あけが安吾になるのは自然ななりゆきと思えた。

　その『アンゴウ』刊行から七年後、新潟で安吾について講演をした折、車椅子の若い女性が来場されていて、彼女は大事そうに『アンゴウ』を抱え持っていた。この本に出逢えたおかげで、死を思いとどまることができた、と彼女は言う。私は全身に鳥肌が立つほど感動した。ああ本当にこの本を作ってよかったと、大きな意義を感じた。

　彼女のおかげで、本シリーズに太宰が入ることになった。太宰の本も無数に出ているが、私にとって心の糧(かて)であり続けた太宰作品の、その大切な部分を伝えられるような作品集を作りたい。これを読んで死ぬのをやめてくれる人がいるといい。そういう気持ちで本書を編んだので、同じ無頼派という以上に、安吾篇と対になる作品集になっていると思う。

　太宰にのめりこむとマネして自殺しちゃうんじゃないか、と本気で思ってる人にときどき逢うが、事実は完全に逆である。私は中学三年から太宰にのめりこんで文学から脱け出せなくなったが、太宰を読むといつも、生きていることの喜びを感じた。

　太宰はたまに自身の自殺未遂をモチーフにした小説も書くが、それでさえ、暗いどん底の淵に一縷（いちる）の希望の光が射す。生きているからこそ味わえた「大切な思い」みたいなものが胸に迫ってくる。本書に収録したエッセイ「感謝の文学」で、なにげない日常の小さな喜びをいくつも連ね、「生きていることへの感謝の念でいっぱいの小説こそ、不滅のものを持っている」と主張する。てらいでも逆説でもない、これは太宰のストレートな本音なのだ。

　太宰には埋もれた作品なんてないと言ってもいいぐらい、どの作もよく読まれていると思う。そんな中でも作品集への収録が比較的少なく、蔭の大傑作と言いたいような作品を厳選してみたら、おもに二つの傾向の作品群が集まった。

　心温まる話と、言葉の魔術師と呼ぶにふさわしい作品と。

どれがどれとは言わない。微妙に重なり合うものもある。収録順にヘタな作為を施さないほうがヴァラエティが生まれると考え、本書ではすべて発表年月日順に配列した。

たまたま最も早い発表作が「葉」になった。ご存じ第一作品集『晩年』の巻頭に置かれ、太宰のおひろめ挨拶ともなった作品だが、デビュー作ではない。太宰名義での小説作品では「列車」「魚服記」「思い出」に続く第四作であり、書かれた順でいうと「逆行」や「陰火」「道化の華」などよりもアトになるらしい（一九八九～九二年、山内祥史編纂に成る『太宰治全集』の解題による）。

　そうと知って見返せば、「逆行」も「陰火」も、掌篇を数本ずつ束ねたスタイルで、さながら文体やモチーフの見本市の様相を呈していた。自分の作風を一つに決められたくない、さまざまな想念の明滅を同一作品内で繰り広げてみせたい、そういう願望が太宰にはある。このスタイルが評判を得たその時、太宰は「葉」の構想を思い立ったのではないだろうか。埋もれたままの旧作たちにも、ほんの少し陽(ひ)の目を見せてやろう。習作の中の、捨てるに惜しいエッセンスをつまみとって、彩りゆたかに盛りつければ、きっと面白いものができる。

劈頭(へきとう)を飾るヴェルレエヌの詩句、無造作にちぎり置かれた物語の断片たち、奇妙に哀切な警句の数々——『晩年』でも冒頭に置かれたように、この作品は常に、冒頭がよく似合う。

先に述べた山内祥史版の太宰全集は、あらゆる点でマニアックな空前絶後の全集で、推定される執筆・脱稿年月日順に作品が並べられているのは、ほんの序の口、「葉」の解題では、どの断片が習作のどこを切り取ったものか、詳細に説かれている。

太宰の習作は、「葉」にほぼ全文筆写された「哀蚊(あわれが)」を除けば、どれもあまり完成度は高くない。文壇デビュー後の作品のうちでいちばん低調なものと比べたとしても、肩を並べられる習作はないだろう。だから、最新版の太宰全集で第一巻が習作集になると知った時、また、アンソロジーなどに太宰作品を代表して習作の一篇が入集(にっしゅう)されているのを見た時など、太宰がかわいそうでならなかった。

にもかかわらず、「葉」で抜き取られた習作の断片は、不思議と大人びて、後年の作品に混じっても悪くないのだ。まさにマジックというべきか。山内氏の解題を読むと、断片を切り取ったうえ叙述の順番を変え、字句もととのえて効果的に貼り込んであることがわかる。名アンソロジストであり、後には翻案モノでも一家を成す太宰は、自作の引用・翻案でも優れた手腕を発揮していたのである。

断片集という形式の小説は、世にそれほど多くはないし、ヘタをすると小説と認められないおそれもある。しかし、太宰の場合はこれが面白いほどハマっていて、余白までが味わい深く構成されているので参ってしまう。断片なので、一片一片には多彩な感情や思想が盛り込まれているわけだが、人間通の部分も強く出てくるし、人生を達観し無常を感じるニヒリズムも現れる。時には寸鉄人を刺す直言、怒りの表出、人生を賭けた夢や、熱い志が叫ぶように書きとめられる。そうして最後には、ひとの心の温かさに触れることが多い。

本書に収めた「HUMAN LOST」までの初期作品および「懶惰の歌留多」は、概ね断片や掌篇を集めた体裁になっている。「葉」のあとにエッセイ集「もの思う葦」の中から四篇を採ったが、これらもやはり、どれかの作品内に組み込まれていても違和感はない。笑える文章、読んで楽しい文章にするために、かなりの文飾をほどこし、逆説を弄し、てんてこまいになったフリして全部計算、その計算であることもあからさまに見せて、ずるずると文章は途切れなく続く。

「虚栄の市」の中のファン・ダイクの自画像の話では、太宰は自身が「貴婦人」たちに愛されるアイドルになりうることを想定し、それが同時に、猛烈なアンチを生むこともキッチリ想定している。こんな自画像を描く奴はホントに鼻もちならない。なんだ、自分じゃないか。でもこのやいばで、誰をでも切ることができるのだよ、と、太宰はそう言っている。私立探偵のあたりからのギャグの奔流は、もう最初から、彼はサーカスの芸人だったんじゃないかと思わせられるアクロバティックな名人芸である。場面設定も描写も何もない、つまり小説らしい仕組みはまるでないにもかかわらず、これは言葉だけで小説になっている。まさに、デモーニッシュな芸。ニセモノの権威を絶対に許さぬ宣言なども、後に共に無頼派として括られる坂口安吾の論調と軌を一にする。

「放心について」など、全文ここでまた引用したくなるぐらい美しい。美しさの根っこには、誰にもへつらわない、悪魔的な信念の光がある。華厳の滝が涸れてもかまわぬ、自分は人間だけを信じる、とキッパリ言い捨てるあたり、やはり安吾の「日本文化私観」を先取りした感もあって小気味よい。

たび重なる自殺未遂の後、一九三五年に太宰は盲腸炎から腹膜炎となって入院したが、その際、鎮痛剤パビナールを毎日処方されたのがモトで薬物中毒になってしまう。そんな闘病のさなかに「逆行」が第一回芥川賞の候補となり、落選。有名な川端康成への脅迫めいた懇願の手紙はこの時に書かれたものだが、太宰は心身ともに惑乱、中毒はひどくなる一方で、肺も病み、不眠が続き、禁断症状や幻聴が現れるようになっていた。周囲の説得により、一九三六年十月から一ヵ月間、板橋の東京武蔵野病院に入院するのだが、ここは精神病院であり、太宰はこれにも相当なショックを受けたようだ。

「創生記」は、「白猿ノ狂乱」などのタイトルで書きつづけ、悪戦苦闘、何度もペンを投げ、のたうちまわりながら、入院する直前の頃ようやく出来上がったものである。

さらに「HUMAN LOST」は、入院時の日記をそのまま小説にした体裁になっている。

「春の盗賊」の中で「私は過去のその数十篇の小説のなかから、二、三、病中の手記を除かなければいけない」と書いているのは、これらの作品ということになるのだろう。「私自身にさえ、意味不明の箇所が、それらの作品には散見される」とあるとおり、実際、何度読んでも意味のわからない箇所は確かにある。

しかしわからない箇所にも、そこはそうとしか書けなかった、書かざるをえなかった、痛ましい思いがにじんでいる。書き直したり削ったりすれば、たちまち痛みは薄まってしまうし、なぜだろう、意味がハッキリとはつかめなくても、過激な言葉の実験がつねに展開されていて、つい大笑いしたり、あきれたり、身につまされたり、いとおしくなったり、冷たい風にさらされたり、本当に得がたい日本語の醍醐味がここにはたっぷりあるのだ。

数ある太宰作品の中で、これまで私が最もページを開く回数が多かったのは、この時期の作品だった。どこでも、行き当たりばったりに開いて読む。すると、どこにも名言がころがっている。暗唱できるぐらい読んで、からだに染みこんでしまった言葉も多い。

ちょうど村上春樹が、デビュー作『風の歌を聴け』について、不備が多くて成功作とは言い難い、という意味のことを再三語るのと同じで、作者が認めなくても、そこに心の「声」や「風景」を見てしまった読者には、もはや揺るがしがたい傑作になっているのだ。

太宰自身が「除かなければ」と語ったとおり、この二作は初版本でかなり削られた箇所がある。プライバシー問題や時勢を考慮した削除もあるが、「創生記」に至っては「山上通信」が全文削除され、その次の刊本では更に「山上の私語」以降が全文削除で、もはや原形をとどめていなかった。

当然、どの箇所も在ったほうがいいものばかりだ。何度も刊行された太宰全集の編集者も思いは同じで、初版本を底本とするのが基本の版でも、この二作のみは初出形を採用している。ちくま文庫版を底本にしている本書も同様だが、以下の四箇所のみ、初版本の補足や修正を採用した。

「創生記」

66頁2行め「彼失ワズ」→「彼失ワズ（石坂洋次郎氏ノ近作ニツイテ）」

同　3行め「林房雄氏ノ一文」→「石坂洋次郎作「麦死ナズ」ニツイテノ、林房雄氏ノ一文」

「HUMAN LOST」

105頁6行め「ぐうだら」→「ぐうたら」

１１３頁９行め「白く立つ浪がしら」→「白く立ち立つ浪がしら。」
（これは短歌になっているので、初出は脱字だった可能性あり。のちに太宰自身「鉄面皮」の中で引用した際も「白く立ち立つ」であった）

一九三九年一月、井伏鱒二の媒酌で美知子と結婚、甲府の新居で心機一転とりかかった第一作が「黄金風景」である。反感やいらだちで重苦しく澱んだ気持ちが最悪の地点に達したところで、ウラオモテがひっくり返る。真相が発見されて、さわやかな風が吹く。ハリウッド映画や落語にも通じる、この手の作品を太宰は数えきれないほど書いたが、本作はその最良の成果といえるだろう。

国民新聞社の短篇小説コンクールで、参加作家たちの推薦投票によって上林暁の「寒鮒」と本作とがダブル当選となった。参加したのは大田洋子や南川潤、伊藤整、小田嶽夫、本庄陸男（むつお）、葉山嘉樹（よしき）、鶴田知也ら有名作家ばかり三十名で、有効票二十三票のうち、上記二作が最高の四票をとっている。他にも二票以上とった作品が複数あったとした場合、残りの票数は十一以下しか残らないので、半数以上の作品はゼロ票だった計算になる。四票は相当高率の得票数といえる。

太宰はいつも、人間の弱さ、はかなさ、かなしさに目を向けていた。希望を失い、暗いニヒリズムに沈み込んだ時にこそ、ほんのかすかな光でも、ひとの心のぬくもりが黄金のように輝いて見えるのだ。そうした心の構造が、温かなどんでん返しの物語を生みだす。本作や「老（アルト）ハイデルベルヒ」「帰去来（ききょらい）」のように、ひとの心の尊さ、ありがたさを謳（うた）う作品が、太宰には数多くある。そうした作品では、太宰の文章には熱い真情がこもり、行火（あんか）のようにぬくもりを広げていく。

よい文章は人の心に長く残る。一生残る場合もあるだろう。

「新樹の言葉」なども、何でもない日常の小さな再会を語るだけなのに、慈しみのこもった文章のはしばしに胸を打たれる。酔眼に初めて現れる乳兄弟の妹の「あんまり、お酒のんじゃいけない」と「私」を叱るその「きつい語調が、乳母のつるの語調に、そっくり」で、薄目をあけて見ると、そのすがたは「夢のように、美しかった。お嫁に行く、あの夜のつるに酷似していたのである」と連なる文章には、まさしく神が宿っている。

この妹や「黄金風景」のお慶の、凜としたたたずまい、慈愛に満ちたまなざしを太宰は最大限に讃美する。彼女らに「負けた」と思い、負けたのを嬉しく思う気持ちは、作者がつねに「陋巷（ろうこう）のマリア」を求めているからだろう。自分を極端なダメ人間に仕立てるのは、どん底にいるみすぼらしい男なればこそ、マリアが手をさしのべてくれる、そういう構図をつくるためでもある。無償の愛、無制限のやさしさは、底辺の存在をこそ包み込む。

「俗天使」で、のろけにならないよう注意深く語っているのは、そういうことだ。ラストに「女生徒」のモデルになった少女からの手紙が引用されているが、「サビガリさん」をいたわり、楽しませようと懸命な思いで手紙を書く少女の、その姿も少し痛々しい。現実の手紙との比較研究などもされているが、この作品のこの場所に、少し成長して変化しはじめた少女の手紙をセットしたかった、作者の気持ちのほうを汲み取りたい。

この「俗天使」の初めのほうで「老ハイデルベルヒ」の腹案が語られている。「アルト・ハイデルベルヒ」は、ドイツのマイヤー＝フェルスターが書いた戯曲のタイトルで、「アルト」は英語のoldなので「懐かしのハイデルベルヒ」と訳したほうが意味が通じやすい。その町で学生生活を過ごした主人公が、故郷の国の大公になるため町の人や恋人と離ればなれになるが、後に再訪して恋人とも再会する純愛劇。

しかし、町にはもう昔の面影はなく、青春の思い出はすこし寂しい傷心とともに終わる。日本では大正初年から何度も上演された人気演目であり、特に学生にとっては必読書だったともいわれる。

太宰は一九三四年の夏に伊豆の三島にある友人兄妹宅で「ロマネスク」を執筆していて、その時のことが本当に懐かしく思い出されていたらしい。美知子夫人たちは太宰の気持ちを知らずに三島で遊び、後に作品を読んで、ああそういうことだったのか、と思い当たったそうだ。


「懶惰の歌留多」は、「HUMAN LOST」の末尾で構想が語られた「朝の歌留多」が、書いていくうちに「背徳の歌留多」になり、最後は大幅に書き加えられた冒頭部の「懶惰」がクローズアップされた。これも大好きな作品で、「春の盗賊」などとともに、歯止めのきかない話芸のマジックにズルズルと引きずり込まれてしまう。誇張や悪ノリ、思いがけない連想。安吾は太宰作品を「高い魂の落語」と表現したが、本当に読んでいて楽しい。

「春の盗賊」では、いつか「人間失格」を書く宣言ともとれる文言もあって、ずっとエッセイ風なのかと思っていると「そろそろ小説の世界の中にはいって来ているのであるから、読者も、注意が肝要である」などと出てくる。それまでは落語でいえばマクラだったという、心憎い仕組み。

「小説」になってからも実に荒唐無稽な面白さがあるのだが、中でも可笑しいのが「やって来たのは、ガスコン兵」というナンセンスな呪文だ。高校の時は同じ太宰ファンの友人と、最近では家人と、何かの折に唱え合っては笑いのタネにしたものだが、最近、北村薫氏の連作小説『中野のお父さんは謎を解くか』の中に、その名も「ガスコン兵はどこから来たか」の一篇が収録されていた。文学ネタのウンチク謎解き小説なのだが、「中野のお父さん」は即座に、ガスコン兵と来ればシラノ・ド・ベルジュラックだ、と結論づけてしまう。あらゆる方面に秀でていたシラノはガスコン青年隊の一員。文学の才にも恵まれ、喋りに喋る、唯一の弱点が大きな鼻であることなど、太宰に似ていると言う。こう謎解きされてしまうと、かえって面白くない。北村氏は猛烈なウンチクの持ち主で、素晴らしい目利きでもあるが、そのウンチクゆえに独断しがちなのが悪いクセだ。

私も一つ仮説を立てておこう。ガスコン兵はダルタニアンではないか、と。『三銃士』の中で、向こう見ずなほど勇敢で頑固な性質をもつガスコン気質について、あちこちで言及されている。ダルタニアンがまさにガスコン気質の持ち主だからだ。

「春の盗賊」を脱稿したのは一九三九年四月頃で、その一年余り前から、太宰は「私は、このごろ、アレキサンダア・デュマの作品を読んでいる」とエッセイに書いていた。脱稿直後のエッセイでも大デュマを褒めているし、本作の初めのほうに「アレキサンダア・デュマの大ロマンスを読んで熱狂し、血相かえて書斎から飛び出し、友を選ばばダルタニアンと、絶叫して酒場に躍り込んだ」と書かれている。太宰が読んだ版は、人名表記などから推測して改造社の『世界大衆文学全集6』(一九二九年、三上於菟吉訳)だと思うが、もっとずっと前に川上眉山(びざん)の訳もあった。そこでの主人公名は「有田太郎」で、ガスコン出身だから「瓦斯困(がすこん)太郎」の綽名(あだな)でも知られていた。

シラノなんかよりも、太宰は本当は、無鉄砲で頑固なダルタニアンのような人物のほうが好きだったのだ。当時は『三銃士』に取り憑かれていた節があって、それでヘンな呪文が口をついて出てきたのではないだろうか。

ストーリーの構成は「市井喧争」もよく似ている。「市井喧争」は「善蔵を思う」の後日譚で、ねちっこい市井人のヤクザなカラミ方が本当に怖い。このまま突き進めば必ずやストーカーとなり、死ぬまで付きまとわれそうな恐怖が湧く。こういう話も太宰作品には多く、そして抜群にウマイ。

「女人訓戒」や「清貧譚」は、「陰火」の「尼」と同じ女妖変幻の物語だが、なんといっても巧みな話術に魅了される。エロティックで愉快であり、かつ不気味で生々しい。

とくに「清貧譚」は、中国の奇談集『聊斎志異』に材をとった翻案小説でもある。太宰のは菊の弟とのあたたかい交流によさがあるが、原話では感情の交流はほとんど描かれず、オカルト色が強い。さらに、原話の弟はもとから酒飲みで、菊に変化してしまうのは一度だけではない。姉がいない時に飲んだくれたせいで、菊になったまま枯れてしまうのだ。怖さは原話のほうがあるが、話のふくらみやあたたかみの点では断然、翻案のほうが優れている。

本書の最後に配した「母」の「悪くない声」の女中は、隣でひっそり会話を聞く作者の中で、母に擬せられている。母は聖母、「陋巷のマリア」に通じる。話の最後に出てくる「コロナ」というのは、戦後わずかの期間だけ売られていた煙草の銘柄。太宰もまさか本作の発表後まもなく消滅してしまうとは思いもよらなかっただろう。七十数年後には猛威をふるうウイルスの名称として悪名とどろくが、これも時代を経ればコロナって何、ということになるに違いない。

「一つの約束」で描かれる遭難した水夫の話は、短篇「雪の夜の話」でも引用され、長篇「惜別」でも紹介されている。原話は不明だが、テニスンの物語詩「イノック・アーデン」などを念頭に置いて太宰が作った話かもしれない。「人間失格」の中で、シヅ子のもとを葉蔵がひっそり去って行くシーンにもつながるエピソードで、こういう話はきっと、太宰流の「陋巷のマリア」たちへの捧げ物なのだろう。

「帰去来」は、一九四一年八月に十年ぶりで青森県金木町の実家へ帰省した時の話。これは翌年の秋までは脱稿して雑誌社に送られたが、雑誌の発行が一年遅れたため、四二年の二度めの帰省を題材にした「故郷」のほうが先に発表されてしまった。

「帰去来」は十年ぶりの里帰りであり、それはつまり、女性一人が死んでしまった鎌倉の海岸での心中事件以来ということで、不孝を重ね義絶同然だった状態が解けるかどうかという極度の緊張をしいられるものだった。そのぶんだけ、豪快に仲介役を引き受けた北さんと中畑さんへの感謝の念が強く表れ、作品としての完成度もしぜん高くなっている。

「老ハイデルベルヒ」の高部佐吉のモデルとなった坂部武郎は、北さんの甥っこだった。

太宰のことを「私小説作家」と思い込んでいる人は多いが、この一作に関していえば、それでもよいと思っている。中畑さんや北さんの武骨だけれど行き届いた思いやりが胸にしみる。

感謝の文学。

太宰の珍しいほど素直な、でも、渾身(こんしん)の一作だと思う。

# 初出一覧

葉　『鶴』一九三四年四月
虚栄の市　『日本浪曼派』一九三五年八月
敗北の歌　『日本浪曼派』一九三五年八月
放心について　『日本浪曼派』一九三五年十二月
感謝の文学　『東京日日新聞』一九三五年十二月十五日
陰火　『文芸雑誌』一九三六年四月
走ラヌ名馬　『工業大学蔵前新聞』一九三六年七月二十五日
創生記　『新潮』一九三六年十月
音に就いて　『早稲田大学新聞』一九三七年一月二十日
HUMAN LOST　『新潮』一九三七年四月
黄金風景　『国民新聞』一九三九年三月二〜三日
懶惰の歌留多　『文芸』一九三九年四月
新樹の言葉　書き下ろし作品集『愛と美について』一九三九年五月
市井喧争　『文芸日本』一九三九年十二月
俗天使　『新潮』一九四〇年一月

女人訓戒　『作品倶楽部』一九四〇年一月（初出題「短片集」）
春の盗賊　『文芸日本』一九四〇年一月
老ハイデルベルヒ　『婦人画報』一九四〇年三月
清貧譚　『新潮』一九四一年一月
帰去来　『八雲』一九四三年六月
一つの約束　初出誌未詳　一九四四年頃
親という二字　『新風』一九四六年一月
母　『新潮』一九四七年三月

本書の底本には、主にちくま文庫版『太宰治全集』全十巻（筑摩書房、二〇一三年）を用い、適宜初版本などその他の版本を参照した。

原則として漢字は新字体に、仮名は新仮名遣いに統一した。また、明らかな誤記・誤植と思われるものは訂正した。ただし、当時の慣用表現もしくは著者独特の用字と思われるもの（「珠数」「生き伸びる」「腹綿」など）はそのまま活かした。

底本にあるルビは適宜採用し、難読語句については新たにルビを付した。

本書には現在の人権感覚からすれば不適切と思われる表現があるが、原文の時代性を考慮してそのままとした。

太宰 治（だざい おさむ）
1909年、青森県生まれ。本名津島修治。東京帝大仏文科に在学中、酒場の女性と鎌倉の海岸で心中を図り、一人生き残る。また、左翼思想に共鳴して非合法活動に加わり、大学を中退。1935年、「逆行」が第1回芥川賞候補となるが落選。腹膜炎治療時の鎮痛剤パビナールの中毒となって不眠・幻聴に悩み、東京武蔵野病院に1カ月入院する。1939年、井伏鱒二の媒酌で石原美知子と結婚。戦後は「斜陽」などの作品で流行作家となり、坂口安吾、織田作之助らとともに新戯作派、無頼派と称される。1948年、愛人の山崎富栄と玉川上水で入水自殺を遂げる。
　主な著書に『晩年』『女生徒』『皮膚と心』『女の決闘』『津軽』『右大臣実朝』『お伽草紙』『パンドラの匣』『ヴィヨンの妻』『斜陽』『人間失格』『桜桃』などがある。

黄金風景

――シリーズ 日本語の醍醐味⑨

二〇二一年六月十九日　初版第一刷発行
定　価＝本体二四〇〇円＋税

著　者　太宰　治
編　者　七北数人・烏有書林
発行者　上田　宙
発行所　株式会社 烏有書林
〒二六一―〇〇二六
千葉県千葉市美浜区幕張西四―一―一四―七〇七
電話＆FAX 〇五〇―八八八五―三五一三
info@uyushorin.com　https://uyushorin.com
印　刷　株式会社 理想社
製　本　株式会社 松岳社
Printed in Japan　ISBN978-4-904596-12-8